平凡社新書
1028

思考停止という病理《やまい》

もはや「お任せ」の姿勢は通用しない

榎本博明
ENOMOTO HIROAKI

HEIBONSHA

思考停止という病理《やまい》●目次

はじめに

　政府の方針にしろ、経済界の動きにしろ、「それはおかしいのではないか」と思ったり、ＳＮＳやゲームの弊害など世の中の動きに対して危うさを感じたりして、職場の仲間との雑談の場で疑問をちょっと口にしただけで、

「なんでわざわざそんなこと考えるんですか？」

「へそ曲がりですね」

「そんなこと考えるなんて、おかしいんじゃないですか⁉」

などといった反応が返ってくる。みんな自分の目の前のことしか考えておらず、社会で起こっていることにまったく無関心で、日頃感じる疑問は一切口にしなくなった。そのようにこぼす人がいる。

　家族に対して、そのような疑問を口にして、気まずい感じになったという人もいる。あ

る女性は、社会で起こっていることに対して感じる危うさを口にしたところ、子どもから、

「お母さん、考えすぎだよ。ふつうはそんなこと考えないよ」

と言われ、夫からは、

「お母さんは変わってるからなぁ」

と言われ、完全に変人扱いされるようになったという。さらには、子どもから、

「お母さん、そういうことは外で言わない方がいいよ。危険人物ってみなされちゃうよ」

とまで言われ、ショックを受けたという。


思考停止が常態となっている日本では、自分の頭で考えようとして、ちょっとでも疑問を口にしたりすると、おかしな人、ときに危険人物とみなされてしまうのである。

教育界では、これからは知識詰め込み型の教育から脱し、思考力を重視する教育にシフトする必要があるなどと言われ、それに沿った入試改革まで行われている。だが、前述のような世の中の空気からして、為政者は国民の思考力が鍛えられることをほんとうに望んでいるのだろうかと疑いたくなる。

そもそも知識の乏しい人が考えることに説得力があるだろうか。でも、受け止める側も

知識が乏しければ、「なるほど」と思うのかもしれない。このように考えていくと暗澹《あんたん》たる気持ちにならざるを得ない。

この思考停止社会は、いったいどこに向かっているのだろうか。

第1章　考えることを忘れた社会

成人年齢を引き下げることの愚

大人として認められる年齢、いわゆる成人年齢は明治期以来20歳だったのが、2022年4月の民法改正により約140年ぶりに18歳に引き下げられた。

政権与党の支持率が18歳と19歳で高いことから、参政権を18歳から与えようという動きが出てきたとも言われているが、参政権は18歳から与えつつも、飲酒や喫煙は従来のまま20歳からとなっている。

成人年齢の引き下げが時代の流れに逆行していることは、だれの目にも明らかなはずである。実際、成人年齢が引き下げられてからはじめての成人式が2023年の1月に行われたが、ほんのいくつかの市町が18歳からを対象に実施しただけで、ほとんどの自治体が従来通り20歳の市民を対象に実施したという。

ただし、民法上18歳からが成人とみなされることになったため、成人式という名称を使わず、「20歳を祝う会」「20歳のつどい」などの名称を用いているようである。

成人年齢が18歳に引き下げられたのに、相変わらず成人式に相当する会を20歳の市民を対象として執り行う理由として、たとえば長野市は、市民アンケートの結果、18歳は受験や就活で忙しいということがあり、67パーセントが今まで通り20歳で行うことを望んでいることをあげている。

受験や就活で忙しく、5割がその後も学生を何年も続けることになる18歳を成人とみなすというような、大きな矛盾をはらんだ成人年齢の引き下げを容認してしまうのも、思考停止によるものと言えないだろうか。

成熟が遅くなっているのは、多くの人が日常生活のなかで感じているはずである。歌手や俳優をみても、50年前の20歳は今の20歳よりはるかに大人びて見える。結婚する年齢や就職する年齢も、年々高まってきている。そもそも平均寿命が60代だった頃に20歳で大人になるとしたら、平均寿命が80歳を超えるまでに延びた今では、大人になる年齢が20歳よりもっとずっと後になって当然と言えるのではないか。

心理学の世界では、青年期の終わりは、経済的に自立したり結婚したりする者が多くなる22歳から23歳の頃というのが、かつての常識的な見方であった。

子どもから大人への移行期が青年期であるとするなら、成人の仲間入りをすることによって青年期は終了する。

成人したと認められるための基準、いわば一人前の基準が何であるかは社会によって異なる。一人前の基準が非常に単純な社会、たとえば一定の力仕事ができる体力が基準である社会であれば、15歳くらいで大人と同じように働けるという意味において成人し、青年期が終了することになる。

だが、社会が複雑化し、一定の職業に就くために必要な知識や技能が高度化し、学校での修業年限が長期化するにつれて、一人前になるまでに時間がかかるようになり、成人する時期、すなわち青年期が終了する時期はしだいに遅くなってきた。

現代社会においては、一般に20歳で成人し、青年期が終了するとみなされてきたが、科学技術や産業構造の高度化・複雑化は止まるところを知らず、学校の修業年限もますます長期化しつつあり、今や20歳で青年期が終了するとみなすのは困難と思われる。

大人とは、所属する社会において一人前の役割を担うことができる人間を指す。それゆえ社会人などという言い方もあるのである。そうなると、今の時代、青年期の終わりを20歳とするのは無理があると言わざるを得ない。

大学進学率が5割を超え、20歳というのは順調にいっても大学生活の前半の年代にあたる。高校や大学を出ても定職に就かない若者が増え、20代後半になっても定職をもたないフリーターやニートの急増が社会問題化している。大学院進学者も増え、学生の身分のまま20代後半に突入する若者も珍しくなくなってきた。職に就いて経済力を得ても家を出ていかず、親元に寄生したまま自立しようとしない20代から30代前半の若者も増え、パラサイト・シングルなどという言葉も生まれた。このような時代の20歳を大人とみなすのは適当とは言えないであろう。

精神医学者笠原嘉《よみし》は、早くも1970年代に、青年期の精神病理像をもとに青年期延長説を唱え、従来は22、23歳くらいまでの10年間を青年期と呼ぶのが大体の常識であったが、今日では30歳前後までの20年間くらいを青年期とすべきだとしている。その傍証として、青年期に発する精神障害の多くは30歳前後になると軽快ないし治癒することをあげ、そうした病気で悩む人たちに対して、30歳まで何とか我慢してみないかという意味のアドバイスをすることもよくあるという。

精神病理像を根拠とするのでなくても、先にあげたような社会状況をみれば、青年期の終わりの年齢を従来の20歳から30歳くらいにまで引き上げるのが妥当と考えられる。

たとえ圧倒的多数派を占める政権与党が、成人年齢を従来の20歳から30歳くらいまで引き上げるのが妥当と思われる時代の流れに逆行して18歳に引き下げようとしても、国民の多くが思考停止していなければ、それを阻止することはできたのではないか。

「記憶にございません」から何を汲み取るか

相変わらず政治家の記者会見でよく耳にするのが、「記憶にございません」というセリフだ。これは、責任を問われない形で嘘を言うときに使われる常套句だ。そのような言い方をする時点で、「これは怪しい、ほんとうはやってるな（言ってるな）」と判断せざるを得ない。それにもかかわらず、なぜこのようなセリフが言い訳として通用するのか、どうにも不可解でならない。

まずいことをしていたことがバレても、立場上、そう簡単に認めるわけにはいかない。そうかといって「やってません」と否定して、後から動かしようのない証拠や証言が出てきたら、嘘をついたことになり、非常に苦しい立場に追い込まれる。

そこで、とりあえず「記憶にない」ということにしておけば、証拠や証言を突きつけられ、もう逃げ切れなくなったときには、「すっかり忘れていたが、そういえばそんなことがあった」などと、記憶がよみがえったことにできる。

記憶はなかなか自分の思うようにならない。思い出したくても思い出せないこともある。

思い出したくないのにしょっちゅう思い出してしまうこともある。そんな記憶の性質を悪用し、自分が嘘をついたのではなく、記憶のせいにする。記憶が勝手に消え、証拠や証言をきっかけに突如としてよみがえったことにする。

でも、記憶というのは、それほどまでに勝手に消えたりよみがえったりするものではない。法的責任を問われるような大それたことをしたなら、当然ながら強烈に記憶に刻まれているはずである。強く刻まれた記憶は、そう簡単に薄れたりはしない。

ゆえに、ほんとうにやっていないのに嫌疑をかけられたのなら、「もしかして、自分はやったのに記憶が薄れているのだろうか」などと自問する必要などなく、「やってません」とはっきり断言できるだろう。

やっていないと言えずに、「記憶にない」ことにするのは、やっていた記憶があることの証拠とみてよいだろう。

致命的な違法行為をしていながら記憶に刻まれていないのはおかしいが、もしほんとうに記憶にないとしたら、常習的になっていたからとくに意識していなかったか、記憶力に著しい障害を抱えているかのいずれかと考えるのが妥当だろう。そのような人物は、責任ある立場にふさわしい倫理観あるいは能力が欠けているとみなすべきである。当然ながら、国民の現在および将来の生活を託せるような人物ではない。

このような見方が普及すれば、「記憶にございません」という言い訳は通じなくなるだろう。

思考停止を疑いたくなるのは、なにも「記憶にない」という言い訳が通用しているという事例に限らない。テレビのニュースや国会中継を見れば、そうした事例にしばしば出くわす。

たとえば、ある政治家が「そのような発言はしていないのですか?」と問われたのに対して、「そのような指示はしていません」と答える。質問者が「指示ではなくて、あなたはそのような発言はしていないのですか?」と重ねて問いかけたのに対して、その政治家は「そのような指示は一切していません」と繰り返すばかり。

こうしたスレ違いには、じつはその政治家が「そのような発言をした」という事実が露呈している。そこまでしつこくスレ違わないといけないのは、「発言した」と答えるのはまずいし、そうかといって「発言していない」と答えたら偽証になるからだ。

嘘がバレたり、不祥事らしきことが表面化したときに、関係者が「まったく問題はありません」などと答えている姿が報道されることがあるが、それが問題とされないのも、視聴者が思考停止に陥っているからだろう。

問題があるかどうかは、当事者側が判断することではないはずである。それにもかかわらず「問題はない」と言うところに、何としても隠蔽したいという意思があからさまに漏れ出ている。

問題発言を撤回させることの違和感

政治家の問題発言があまりに目立つ。その都度、問題発言をした政治家は謝罪会見に追い込まれ、問題とされる発言を撤回せざるを得なくなる。

だが、気になるのは問題発言が多いことではない。問題発言を撤回させて満足するような風潮である。

問題発言は見逃すわけにいかないし、その発言者を追及し、発言を撤回させるのは当然のことであり、それのどこが悪いのだ、と思われるかもしれない。でも、問題発言を撤回させたところで、その発言者の心が変わるだろうか。撤回させ、溜飲を下げて、スッキリする。それでよいのだろうか。

べつに問題発言をした個人をここで糾弾するつもりはないので、個々の事例をあげることはしないが、だれでもいくつかの事例を思い浮かべることができるはずだ。差別的発言をして問題になった事例、消費者あるいは国民を軽視するような発言をした事例、だれでもやっているというような開き直る発言をした事例など、あげていけばきりがないほどである。

そうした問題発言をした政治家などに対して、「撤回してください!」と迫る人たちの正義感や使命感には心から共感するし、発言者に対して憤りを感じるのは私も同じだ。だが、改めて強調したいのは、発言を撤回させたところで、その人の意識は変わらないものだということだ。

現に、問題発言を撤回した人物が、また似たような問題発言をして糾弾されるというのもよくあることである。ホンネの部分はまったく変わっていないからそういうことになる。では、なぜ撤回するのかと言えば、そうしないと周りがうるさいし、業務に差し障るからにすぎない。

ゆえに、ほとぼりが冷める頃に、気が緩んでまた似たような問題発言をすることになる。世間の批判の声が強まり、たとえ一時的に要職から離れたとしても、いつの間にかどこかで復活しているのが常である。

問題発言を撤回させるだけで満足してしまうから、そんなことが平気で行われるのである。そこで大切なのは、問題発言を撤回させることではなく、「そういう考えをもつ人物なのだ」ということを頭にしっかりと刻むことである。そして、選挙の際にはそのような人物に投票しないように注意することである。

模範的な謝罪会見を見てスッキリする人たち

問題発言に限らず、偽装、数値改ざん、詐欺的営業などの不祥事が起こるたびに、謝罪会見の様子がテレビやネットで報道される。

その際、いかにも自分は悪くないといった感じのふてぶてしい態度だったり、まるで他人事のような言い方だったりすると、「反省してない」ということで、猛烈な批判の渦が巻き起こる。

一方、ていねいに謝罪し、姿勢や表情や言葉で申し訳ない思いを前面に出した謝罪会見がなされると、「反省の思いが姿勢や表情にも言葉にもあらわれていた」ということで、攻撃的な批判は和らぎ、逆に評判を上げることさえある。

そこで、企業や政治家向けに謝罪会見の研修というようなことが行われるようになっている。世間の評判を落とすとまずいので、批判を収束させ、あわよくば不祥事対応をきっかけに評判を上げられたらそれに越したことはないというわけだ。

あるファストフードチェーン店で不祥事が発覚した際に、謝罪会見の様子が、いかにも自分は悪くないといった感じで、世間の批判が渦巻き、ネット上で炎上したのを覚えている人もいるはずだ。そのため再度謝罪会見が行われたが、髪を縛り、眼鏡をかけ、いかにも反省していますといった雰囲気を醸し出すことで、世間は納得し、批判は収束していった。そこでは間違いなく模範的な謝罪会見にするべく指導が入ったのだろう。

心理学では二種類の謝罪を区別している。ほんとうの謝罪と自己呈示としての謝罪だ。ほんとうの謝罪というのは、文字通り、心の底から申し訳ないことをしたと思い、誠意をもって謝罪をすることである。

それに対して、自己呈示というのは、「このように見られたい」という思いが先にあり、そう見られるために自分の見せ方を調整する心理戦略のことを指す。印象操作とも言う。いわば、心から反省しているというよりも、いかにも深く反省しているように見せるにはどうしたらよいかを基準にして、それに則って服装や物腰、表情、言葉などをうまく調整するのである。しっかり反省していますといった見せかけを取り繕うわけである。

そうした見せかけのテクニックのことなど知らず、ほんとうに悪いことをしたと思っているのに、謝罪会見の際に気が動転していたり、もともと不器用で要領よく立ち回れないために、批判の集中砲火を浴びてしまうケースもある。

その一方で、自己呈示を用いた効果的な謝罪マニュアル通りに振る舞ったために、心のなかでは「バレちまって運が悪いな。うるさい連中を黙らせないと厄介だからな」と思っており、反省のかけらもないにもかかわらず、反省の姿勢が感じられたとされ、好意的にみられるようなケースもあったりする。

戦略思考などという言葉もあるように、本心からの謝罪ではなく自己呈示による謝罪がそこらじゅうにみられる時代である。模範的な謝罪会見にスッキリして、水に流し、忘れてしまうのではなく、その後の対応などをしっかり確認しながら見極めていく姿勢が必要だろう。

兼業解禁・副業奨励は手放しで喜ぶべきことか

多くの企業はこれまで兼業を禁じてきたが、このところ大手企業でも兼業を認めるところが出てきている。勤務時間後の夜や休日に副業を認めるという形態もあれば、週5日の勤務体制を崩して何日か減らし、兼業先で週に何日か働いてもよいといった形態もみられるようである。なかには多様な経験を積むことが人材育成につながるなどとして、兼業・副業を積極的に奨励する企業も出てきているという。

このような兼業解禁・副業奨励は、多様な働き方を認める姿勢のあらわれとして、就活生などへのアピールにもなるとされている。

実際、兼業を容認し、起業して副業をもつことも認めるという企業に対して、古い慣習に縛られず、従業員の自由を認めてくれるとして、好印象をもつ若者も多いようだ。

私たちの心の奥には変身願望が潜んでいる。マンネリ化した日常に退屈し、いつもと違う自分を生きてみたいという思いがあったり、勤務中に仕事にふさわしいペルソナをまとうことで抑圧している自分の一面を表に出し、抑圧された気分を発散したいという衝動が込み上げてきたりする瞬間があるものだ。

アルコールが入り、抑圧が緩むと、仕事中とはまるで別人のようになる人もいるが、そのような人は仕事中に自分をずいぶんと抑え込み、相当無理をしているのだろう。

そうした変身願望をかなえさせてくれるという意味では、歓迎すべきことなのかもしれない。現に、昼間は会社でお堅い仕事をしている人が、勤務時間が終わると夜の街に出勤し、お酒を出す店で接客の仕事をしているといったケースもあるようだ。

昼間は人としゃべるようなことがほとんどなく、書類に目を通したりコンピュータ端末の画面を見たりしながらの仕事を終えた後、夜はお酒を出しながらお客たちの話し相手になるというのは、昼間抑圧している自分の一面を解放するという意味で、格好のストレス発散になっているのだろう。

昼間できない服装ができる。昼間できないしゃべり方が許される。昼間とは接する人たちが違う。このようにもう一人の自分を生きることでストレスを発散しながら、お金まで稼げるのだから、その恩恵は非常に大きいと言わざるを得ない。

そのように兼業・副業容認を積極的に活用できる人もいるだろうが、それはあくまでも少数派なのではないだろうか。馴染まない場では落ち着かないという人や、とくに稼ぎにつながるような兼業・副業は思いつかないという人には、何のメリットもない。

むしろ企業側の人件費削減の意図も疑ってみるべきではないか。新手のリストラの一種と言えなくもない。

週休3日や4日などと休みを増やすのにも、同じように危惧すべき点がある。仕事漬けにならないゆとりあるライフスタイルを支援するなどと言われることがあるが、収入が十分に確保できなければ休みがあってもゆとりなどないはずだ。

なぜ、成果主義が不祥事につながるのか

欧米流の成果主義が日本の社会にも広まりつつあるが、そうした異文化に根ざした制度を導入する際には、双方の文化的背景を十分に考慮する必要がある。

日本郵政の、かんぽ生命保険の販売を担当する郵便局員たちが、多くの高齢者に加入中の契約の解約と新規契約への乗り換えを勧めて、高齢者を食い物にしながら新規契約件数のノルマ達成に邁進していた事件があった。2019年に発覚し大問題になった事件なので、まだ記憶に残っている人も少なくないのではないか。

国民にとって頼りになる身近な存在だった郵便局員がこのようなことをしていたということで、じつに衝撃的なことであった。

その背景には、欧米流の成果主義による締めつけがあった。従来の年功賃金では気が緩み、いい加減な働き方に甘んじる人たちもいるため、成果主義はしっかり働いている人が

報われる評価方式という意味でプラスの面もあるが、評価の仕方やノルマの与え方によっては従業員を追い詰めることにもなりかねない。

現場の郵便局員たちは、自分を信用してくれている高齢の顧客たちを騙すような手口でノルマを達成するしかない状況に追い込まれ、非常に苦しい思いを抱えていたようだ。内部告発の多さがそれを物語っている。

日本郵政の社長は、不利益な事項などを契約時に顧客に対して説明し、確認書への署名を得ていたため、法令違反があったとは思っていないと当初は言っていたが、明らかに顧客に不利益な契約乗り換えを勧める不適切販売の実態がつぎつぎに明るみに出てきた。そうした不適切販売が常態化していたことから、日本郵政、かんぽ生命保険、日本郵便の各社長が謝罪会見を行うこととなった。

何が問題なのかと言えば、文化の違いを踏まえずに成果主義を取り入れていることである。

性悪説が根底にあり、個人主義が徹底している欧米社会では、他人を疑う習性がしっかりと身についている。しかも、自己主張の社会であるため、相手に遠慮せずに疑問を口にしたり、相手の気持ちに配慮せずに平気で断ったりすることができる。

ゆえに、このようなケースでは、契約を乗り換えるにあたって損はしないのか、どのようなメリットがあるのかなど、疑問に思うことを遠慮なく尋ね、納得がいくまで説明を求める。その結果、メリットが少ないと思えば、遠慮なく断る。そのため、こうした不適切販売に引っかかる人は多くはないと思われる。

一方、性善説が根底にあり、人との関係性を大切にする日本社会では、他人を疑う習性が乏しい。人を信じるのが人間関係の基本となっており、疑うのは失礼だといった感覚がある。ゆえに、このようなケースで、契約を乗り換えると損するのでは、そうするメリットはないのではと疑問に思っても、しつこく問い詰めることはしにくい。そんなことをしたら疑っているみたいで気まずいといった気持ちが働き、よくわからないままに「じゃ、お任せします」というようなことになりがちである。

「お任せ」しても悪いようにはしないだろう、といった信頼が機能しているのが日本社会の特徴と言える。成果主義による締めつけがなければ、郵便局員たちも顧客のためを思い、親身になって相談に乗り、けっして損をするような保険契約を結ばせることはなかったはずだ。

ところが、欧米社会では、「お任せ」というのはあり得ない選択肢だ。自分で判断することを放棄してしまえば、どんな酷い目に遭わされるかわからないし、どんな事態に陥ろうとも任せたからには文句は言えない。自分の身は自分で守らなければやっていけないのが欧米社会なのである。

異文化のシステムを取り入れるのであれば、このような文化的背景をしっかり踏まえ、日本社会にふさわしい枠組みを設定した上で取り入れる必要がある。何でもそのまま取り入れればいいと思っているとうまく機能せず、最悪の場合は不祥事につながってしまうし、国民に甚大な被害を与えるようなことになってしまう。

教育現場にまで数値目標

児童・生徒たちにどのくらいの学力がついているのかを測るために全国学力・学習状況調査が毎年行われている。

学力低下が問題となっているので、実際に自分が教えている児童・生徒たちの科目ごとの学力が全国水準でみるとどうなのか、平均より上なのか下なのかを知るのは、教える際の参考になるはずだ。児童・生徒自身にとっても、自分の各科目の学力の現状を知ることは、苦手を克服するためにも、学力をさらに伸ばすためにも、非常に参考になるだろう。

だが、成果主義的な発想が教育現場にまで持ち込まれるようになったため、おかしなことが起こっている。

たとえば、全国学力・学習状況調査における学力テストの平均点が全国トップクラスの県のなかには、各学校で全国学力テストのための事前対策が熱心に行われているところがあることが判明した。放課後や授業中に過去問を解く指導をしたり、予想問題などを解く特訓をしたりしていたのである。ある県では、県内の7割の学校で、全国学力テストのための事前対策をするようにと校長から指示があったという。校長たちに対しては、教育委員会から何らかの働きかけがあったのだろう。

各県ごとの成績の順位が出れば、教育関係者は無関心ではいられない。自分の県の成績を何とか向上させなければと思うのは当然のことだ。

実際、ある県では、成果目標を定めた国の計画にならって、「全国学力調査10位以内」といった数値目標が設定されたという（「朝日新聞」２０２０年9月6日）。こうした数値目標が設定されれば、現場の教師たちは、児童・生徒とじっくりと向き合って理解を深めるための授業をする余裕をなくし、数値目標達成のための小手先のテクニックに走らざるを得ない。

しかし、全国学力テスト対策に時間を費やすために、各教科の学習時間を削り、児童・生徒がじっくり考えて理解を深めるよりも、試験問題を解くためのテクニックを身につけることを重視するとなれば、浅い理解にとどまり、ほんとうに学力がついたことにはならないだろう。

じっくり考えてわかるようになるというプロセスを省略してしまったら、学ぶ喜びを体得することもなく、点数ばかりを気にして一喜一憂するようになってしまうことが危惧される。それは勉強嫌いを生むことにもつながりかねない。

先述の「全国学力調査10位以内」という目標を設定した県では、その他にも「不登校の出現割合1千人当たり9・6人以下」「授業エスケープをしている児童生徒がいる学校数12校」などといった具体的な数値目標が設定されていたという（「朝日新聞」２０２０年9月6日）。

ビジネス界でさえも弊害が表面化している成果主義を教育現場にまで持ち込むことで、さまざまな歪みが出ているはずだ。実際、全国学力テストの実施中にも、机間巡視する教員が、間違った解答をしている児童・生徒の机を指で叩いて合図するというような不正行為をしていた学校があったという。

前項で指摘したような、数値目標を何としても達成するための企業の不正行為と同じようなことが教育現場でも行われていたわけである。

そうした不正行為は別としても、教育現場に数値目標を持ち込もうとするところに思考停止を感じざるを得ない。

勉強に対する動機づけを高めるような授業をすることが大切なのであって、結果として児童・生徒が何点を取るかまで教員がコントロールすることはできないし、結果にばかり目を向けていたら、勉強に対する動機づけが低下してしまう恐れもある。

また、不登校の人数を最大何人までというように数値目標に設定するという発想も、不登校についての理解不足を露呈している。不登校は、教員が頑張って減らすことができるようなものではないはずだ。

ムダにていねいな注意書き

いつの間にか、あらゆる商品に過剰にていねいな注意書きが記されるようになってきた気がする。

ティッシュペーパーの箱が空っぽになったため、箱をつぶして捨てようとしたら、箱の底に、使い終わった箱のたたみ方として図解つきの説明があった。ティッシュの箱のつぶし方なんて、各自が適当に考えればよさそうなものなのに、うまくたためなくて怪我をしてクレームをつける人がいたりするのだろうか。それにしても、こんなことは、いちいち図解で説明されなくても自分で適当に考えてできるようでないと困るだろう。

コンビニで飲み物を買って、ストローを取り外し、蓋の部分に刺そうとしたら、「ストローや外蓋の縁で怪我をしないように注意してください」と書いてある。こんな飲み物ひとつ飲むにも、ストローや蓋の縁で怪我をしないように人から言われないとダメなのだろうか。当然、そんなことは言われなくても注意するものだろう。

ストローや蓋の縁で怪我をしないようにといった注意書きはよく目にするようになったが、つい先日は、「ストローで勢いよく飲むとむせる可能性があるので注意してください」というような注意書きまで記されていたのには呆れてしまった。このような注意書きがないと勢いよく吸い込んでむせてしまうというのでは困るだろう。ストローを使うとき、いちいちそんなことを注意してくれる人はいない。このような懇切ていねいな注意書きが増えてきたせいで、自ら注意する能力が失われているのではないだろうか。

豆菓子を食べながら小袋を見たら、「5歳以下の子どもには食べさせないようにしてください。口の中に入れたまま走ったり泣いたりすると誤って飲み込み窒息する危険があります」と書いてある。そのようなことは、書いてなくても親が自分で考え、配慮するようでないと困る。

あんこをパンにのせるために、あんこの入ったプラスティック容器をパンに向けてパキッと折ろうとしたら、「必ず食品に向けてから折ってください。他に向けて折ると、衣服や体を汚す怖れがありますのでご注意ください」と書いてある。自分の方に向けて折る人がいるのだろうかと思ってしまうが、こうした注意書きに頼り思考停止に陥ると、注意書きがないと何も考えずに自分の方に向けてパキッと折る人も出てくるのかもしれない。

お風呂の掃除をしようとして洗剤を使う際に、何気なく容器の裏を見たら、「パックを強くもつと、液が飛び出ることがあるので注意する」「あふれないように、液をほとんど使い切ってからつめかえる」などと書いてある。こんなことは常識の範囲内だろう。さらには「飲み物ではありません」とまで注意書きがある。うっかり飲んでしまうような幼児にはこのような文字が読めるはずがないので、この注意書きは大人に向けたものなのだろうか。あるいは注意書きを考える人自身が思考停止に陥り、うっかり飲むような幼児が字を読めないことに気づいていないのだろうか。

いずれにしても、こうした注意書きに頼ることによって、思考停止に陥り、注意してもらわないと気づかないという人が増えているのではないか。

ちょっとしたことでクレームをつける人がいるため、こうした過剰なまでにていねいな注意書きをするようになったと思われるが、そうすることで自ら考えて注意する習慣がますます失われつつあるように思われる。

そのせいで怪我をしたり、むせたり、喉に詰まったり、衣服を汚してしまったりといった事故が起こり、ますます過剰な注意書きが記されるようになっていく。そんな悪循環が生じているように思われてならない。

外出する服装にまでアドバイスする天気予報

どこかに出かけるにしても、家にいるにしても、だれもが気にするのは天気だ。みんなが気にして見ているという意味で、天気予報は特別人気のある番組と言ってもよいのではないか。

旅行とかハイキングとかに出かける予定があるときなどは、何日も前から天気予報が気になり、良い天気になるという予報だとこのまま予報通りになってくれと願い、天気が崩れそうな予報なら当日までに予報が変わってくれないかと祈って、繰り返し天気予報を見たりする。

あまりに天気が荒れる予報の場合は、遊びに行く予定を取りやめたり、屋内でも楽しめるような場所に変更したりしなければならないし、今さら旅行を取りやめるわけにはいかないというような場合は、旅行先で雨天でも楽しめるような施設や店を検索しておくことになる。

特別な外出でなく、いつも通り出勤するような場合も、やはり天気は気になるものである。昼間は暖かくても朝晩は冷え込むという予報なら、軽く羽織れるような上着をもって出かける。昼間は晴れているけれども夕方から雨になる可能性があるという予報なら、鞄のなかに折りたたみ傘を入れて出かける。

べつに出かける予定がない場合も、天気予報に頼る人は少なくないはずだ。一日中良い天気になりそうだという予報なら、布団を干したまま買い物に行けるし、洗濯日和ということで毎日の着替えだけでなくパジャマやシーツや布団カバーなどの洗濯もしておこうという判断ができる。

朝のうちは天気が良くても、昼から崩れそうだという予報なら、洗濯は日々の着替えとか最小限にとどめておこうといった判断ができる。

朝のうちはときどき晴れ間が見え、雨は降りそうになくても、おおむね曇り空の一日になりそうだという予報なら、空気が湿っていそうだし布団を干すのはやめようと判断することができる。

昼すぎまで雨が降っている確率が高いけれども、夕方から晴れ間が出そうだという予報なら、買い物は夕方雨が上がってから行こうといった判断ができる。

明け方から天気が荒れて、強風や豪雨が予想されるという予報なら、前の晩から傘やレインコートの用意をしておくことに加えて、電車に遅れが出るかもしれないからいつもより早めに出ようと判断することができる。

このように天気予報を参考にして、自分の過ごし方を決めたり、布団干しや洗濯をどうするかを決めたり、買い物の予定を決めたり、上着を羽織るか傘をもっていくかなどの判断をしたり、電車の遅れも想定して早めに出かけたりすることができる。

ところが、このところ天気予報がやたらお節介になっている気がする。たとえば、降水確率や最高気温・最低気温、気温の日中の変化を予想するだけでなく、「薄手の上着を羽織って出かけた方がいいでしょう」「傘を忘れないようにしましょう」「今日のうちに洗濯しておいてください」「交通機関に遅れが出るかもしれないのでいつもより早めに出ましょう」などといった具体的なアドバイスまでするようになってきた。

これは視聴者の身になって役に立つアドバイスをしているのであって、親切になってきているのだと言えるのかもしれない。

しかし、こうした具体的なアドバイスまですることによって、他人任せの依存的な生き方を身につけさせることになる。天気予報の情報を参考に、翌日あるいは当日の自分の置かれるであろう状況を予想し、行動を決めたり対策を立てたりすることができなくなる。いわば、懇切ていねいなアドバイスをもらうことに慣れてしまい、自分で情報を総合して考え判断する心の習慣が失われていく。

耳をふさぎたくなるほどうるさい駅のアナウンス

電車に乗るたびに思うのは、駅のアナウンスがあまりに過剰なことだ。都心部の駅のアナウンスは、いつも思うのだが、異常にうるさい。駅員は絶えずアナウンスをし続けている。駅員も大変だろう、声がかれないかと心配になる。

心配すると同時に、そこまでしなくてもいいのにと思ってしまう。

もちろん親切でアナウンスしてくれているのだろうし、何番線に並べばよいのかわからない人や電車の行き先がわからない人の助けになることもあるだろう。だが、それにしてもあまりにうるさいし、言っている内容も、そこまで頻繁に繰り返さなくてもいいだろうと思わざるを得ないものが多い。

「線の内側までお下がりください」「降りる人が済んでからお乗りください」「お忘れ物のないようにご注意ください」「小さなお子様の手をつないでください」など、非常にていねいなのだが、そんなことをいちいち言わないといけないのだろうか。

言われなくても当然のことだと思うが、あまりに懇切ていねいなアナウンスをするせいで、アナウンスがないと自分から注意する心の習慣が失われていくのではないだろうか。過保護に育てると、自立心が乏しく依存的な子に育つというのと同じだ。

とくにうるさいのは新幹線のホームのアナウンスである。絶え間なく同じアナウンスを繰り返す。「○番線ホームに○○行き特急○○が入ります」「自由席は○号車から○号車、指定席は○号車から○号車、グリーン車は○号車と○号車です」「トイレは……」「売店は……」というようなアナウンスを何度も繰り返す。

しかも叫ぶような大声でアナウンスしている。連れと話そうとしても、アナウンスがうるさすぎて相手の声が聞こえない。交互に相手の耳に口を近づけてしゃべるしかないが、それでも聞き取りにくかったりするため、話す気力が失せる。話したいことがあっても、もうどうでもいいといった気分になる。

話しにくいだけではない。考え事をしながらひとりで新幹線を待っているときも、あまりにアナウンスがうるさすぎて、思考に集中できず、イライラしてきて、ついに諦めて放心状態になることもある。

心理学の実験でも、騒音がうるさい場所では、静かなときなら目に入る物にも気づかないことが証明されているが、騒音は心を閉ざさせるのである。「もう、いい加減にしてくれ」といった気持ちにさせる。その結果、周囲のものごとに対する注意力が散漫になる。であれば、駅のホームでいくらうるさく注意を促しても、効果がないどころか、まったくの逆効果ということになってしまう。

結局、ていねいすぎてうるさすぎる駅のアナウンスには、言われなければ気づかない心を生み出すという面と、うるさくてものを考える気力をなくさせ注意力を散漫にさせるという面があり、二重の意味で人々を思考停止状態に追いやっているのである。

ワクチンを打っているから人に感染《うつ》さない

今回の新型コロナウイルスの感染拡大は、私たちの生活を大きく変えた。仕事にしてもリモートワークという新たなスタイルが定着し、職場の飲み会は中止あるいは激減し、友人・知人との会食もしにくくなり、どこに行くにもマスクが必須となり、非常に不自由な日常生活を強いられることとなった。

そんな状況下でワクチンが開発され、その接種が進められてきたが、何しろはじめてのウイルスに対応したワクチンであり、ウイルスに関してもワクチンに関しても、専門家に尋ねてもわからないことだらけだという。

それでも何か対策を取らなければということでワクチン接種が進められているが、そこでも思考停止を疑いたくなることがいろいろと出てきている。

医学的知識は時々刻々追加・修正されていくだろうし、今後解明されることも多々あろう。それは現時点ではだれにもわからない。だが、今ある限られた情報から判断しようとする姿勢は必要であろう。

ところが、自分はワクチンを打ったので人に感染《うつ》さないから大丈夫だというような人がけっこういるのである。

当初は、ワクチンを打てば感染しないと信じるような人もいたが、ワクチン接種をしても感染するブレイクスルーが頻発し、ついに感染者の多くが何度もワクチン接種をした人だということになり、さすがにワクチンにより感染《うつ》しにくくなると信じる人は少なくなったようである。

ただし、感染してもワクチン接種により症状が重くなりにくいとか症状が出にくいといった効果はあるようだと、現時点では言われている。

そうした情報をもとに、自分はワクチンを接種しているから、たとえ感染しても症状が出にくく、人にも感染《うつ》さないから高齢の親に会いに行ったり友だちと会ったりしても安心だ、というようなことを言う人が目立つ。

これも、じつは思考停止をあらわす事例と言えるわけだが、自分の言っていることが矛盾していることに気づいていない人が少なくない。

感染しても症状が出にくいというのは、接する相手にとってはきわめて危険な人物と言わざるを得ないことに気づいていないのだ。症状がみられないから、まさか感染はしていないと思って接していた人物が、じつは感染していたかもしれないのである。

つまり、ワクチン接種により症状が出にくいということがもしほんとうであれば、自分でも知らないうちに感染し、人に感染《うつ》してしまうリスクが高いということになる。自分が感染していることに気づかず平気でいろんな人と接すれば、それによって人に感染《うつ》してしまう可能性も高いわけである。

それにもかかわらず、ワクチンを打っているから人に感染《うつ》さないとか、周囲の人たちのためにワクチンを打ちましょうというようなことが、メディアを通してさえ伝わってくる。ワクチンに症状軽減効果があるとすれば、それは自分の身を守るためであって、人に感染《うつ》さないとかいうことではないはずだ。

何でもスマホが教えてくれる

利便性の追求があたかも良いことのように受け止められ、つぎつぎに便利な道具が開発されてきたが、便利さのなかで私たちの能力の衰退がもたらされている。

利便性を売り物にする道具を買わされ、使わされることで、私たちは能力の衰退を受け入れながら企業の利潤追求に貢献していることに、そろそろ気づくべきだろう。

その最《さい》たるものがスマホである。

電車を乗り換えながらどこかに行くとき、スマホの乗り換えナビを使い、出発駅と行き先の駅を入力すれば、最適な乗り換え方法を教えてくれる。かつては、何線はどのあたりを走っており、何線と何線はどの駅で交わる、などといった知識を頼りに、頭のなかに路線図の概略を描いて、どこまで何線で行き、どの駅で何線に乗り換えるといった判断をしたものだ。

だが、スマホを用いることで、そうした知識は必要なくなり、頭のなかに電車の路線についての認知地図は必要なくなる。

乗り物に乗るときだけでなく、歩くときもスマホが活躍する。スマホやスマートウォッチが目的地に到着するまでナビゲートしてくれる。曲がり角に差しかかると、ピッという合図音が鳴ったりして、行くべき方向を指示してくれる。便利きわまりないが、これではいくら歩いても頭のなかに道路の認知地図ができない。

かつてなら頭のなかに認知地図を描きながら歩いたため、帰るときはそれを頼りに道を逆にたどることができたものだが、スマホの指示を頼りに歩いた場合は、頭のなかに認知地図が描かれないため、帰る際にもスマホの指示がないと道をたどれない。

スマホがあればそれで足りるのだから、頭のなかに認知地図を描く必要などないではないかと思うかもしれない。だが、ここで重要な意味をもつのは、路線図や道路の認知地図がどうこうといった問題ではなく、自分で考えることが省略されていること、それによって考えずに動く習慣が身についてしまうこと、そして勘が働かなくなることである。

最近では、自分の健康状態や気分まで教えてくれる機能もあるようで、とても便利だと言う人もいるが、自分の身体の状態や心の状態を察知する機能までスマホに任せてしまったら、自分の心身の状態に対してまったく勘が働かなくなるだろう。

このようにスマホの便利さを痛感し、便利に使いこなしているうちに、私たちは思考停止状態に追い込まれていく。

何も考えずに動く。何の勘も働かせずにスマホに依存する。そんな状態で過ごしていれば、脳の機能はどんどん退化していくはずだ。

このような便利で依存性の高い道具の開発・普及は、ものを考えない人々、扱いやすく洗脳しやすい人々を増やすための国家戦略なのではないかと疑いたくもなる。

なぜ、税込み表示の義務化なのか

2021年4月から消費税込みの総額表示が義務化された。たとえば、それまでは「1

000円＋税」のような価格表示が一般的だったが、「1100円（税込）」のように価格表示をすることになった。

消費税は、1989年に導入されて以来、3から5パーセントに、5から8パーセントに、そして2019年には8から10パーセントへと税率が引き上げられてきた。30年の間に3、5、8、10パーセントと消費税率は変わってきている。この先もさらに消費税率を上げていかねばならないといった政治家の声も聞かれる。

このように税率が目まぐるしく変わる消費税なのだから、「本体価格＋消費税」といった価格表示をするのが合理的なはずである。生鮮食品でない限り、何年も前の在庫が売られていることも珍しくなく、こうした表示方式なら消費税率がいくら変わろうと何の支障もない。そのまま対応できる。

一方、消費税込み総額表示となると、消費税率が変わるたびに在庫の価格表示をつけ替えなければならない。それには相当の手間とコストがかかる。

それにもかかわらず消費税込み価格表示にするのは、その方が、金額がはっきりわかって便利だからだという。10パーセントにしても、この先12とか15パーセントになったとしても、本体価格を見れば、消費税が加算されるとだいたいこのくらいだ、とおよその見当がつくはずだ。そうであるなら、税率が変わるたびに価格表示をつけ替えなければならないようなやり方にする必要などないだろう。

だが、じつは10パーセントという計算しやすい税率でさえ見当をつけることができない人が相当数いるようなのである。

20年ほど前に『分数ができない大学生――21世紀の日本が危ない』（東洋経済新報社）や、数年前には『「%」が分からない大学生』（光文社新書）が刊行されたりしているが、分数やパーセントがわからない大学生がけっこういるとするなら、国民のなかにパーセントを即座に暗算できない人がかなりいてもおかしくない。そうなると、「本体価格＋税」という価格表示ではよくわからないため、税込み表示にしないと不便なのだろう。

私自身、40年ほど大学生を相手にしてきたが、分数やパーセントをしっかり理解できていない学生が増えてきているというのは実感している。電卓やスマホですぐに計算できるようになったのだから、自分で計算などできなくてもいいではないかといった声も聞くが、はたしてそうだろうか。

実際、小学校で学ぶ算数程度の計算ができない人でも仕事をしている。たとえば、こんなことがあった。買い物をしたとき、おつりが違うので指摘すると、レジを打ち直したのだが、また違っている。そこで、具体的な数字で説明したのだが、なかなか理解してもらえない。打ち間違いをしているようなのだが、ちょっと暗算か筆算をすれば間違っていることはわかりそうなものなのに、レジに頼り切っており、頭が働いていないのだ。スマホ決済を使う人もけっこう出てきているようだが、そうなると頭のなかの暗算機能を使うことがなくなり、ますます計算ができなくなるに違いない。

そんな時代だからこそ、税込みの総額表示が求められるのであろう。消費税の概算ができるかどうかなどは、はっきり言ってどうでもよいことではあるが、頭のなかでそうした変換作業をすることで、脳が活性化され、思考力が鍛えられるということが、じつはとても大事なのである。

「学校ではいろいろと勉強させられたが、それらは社会に出てから全然役に立たない」という声をよく耳にする。

数学の時間に方程式をよく解いたものだが、学校を卒業してから方程式なんて解く機会はまったくない。微分・積分でずいぶん苦しめられたけど、学校を出てから微分・積分の式を使う機会がないどころか、微分・積分っていう言葉すら聞くこともない。そのようなセリフをしばしば耳にする。

たしかによほど特殊な仕事でない限り、仕事で方程式を解いたり微分・積分の計算をしたりするようなことはまずないだろう。もちろん私生活でもそんな知識を持ち出す機会はないはずだ。

だが、勉強することの意味はそのようなところにあるわけではない。数学を学ぶ意味は、実生活にどの程度役立つかにあるのではなく、その学習によって頭を使い、新たな考え方に馴染むことで思考力が磨かれ、仕事や私生活でぶちあたるさまざまな課題を解決する力がつくというところにある。

このところ実学を重視する傾向が目立つが、実生活に直接役立つことしか学ばないというのでは、頭を鍛えて考える力を磨く機会を失うばかりでなく、頭を使って考えること自体を楽しめなくなってしまう。

日本語なのに理解できない

中学生の約半数が、教科書を読んでも内容を理解できないといったデータが公表されたり、実用文さえ読解できない若者が多いと言われたりしている。こういったことから、高校の国語の授業で、小説や評論のような高度な文学作品でなく、駐車場の契約書や行政の広報文などの実用文を学ばせる方針が示されるなど、中高生の読解力の危機が深刻視されている。だが、読解力の欠如が深刻化しているのは、なにも中学生や高校生に限らない。大学で心理学系の授業を担当している教員の間では、従来、当たり前のように実施していた心理検査やアンケート調査ができない学生が増えていることが話題になっている。

質問文の意味がわからないのだ。

私自身、そのような質問をされて驚くことが少なくない。

たとえば、「内気ってどういう意味ですか?」「内向的って何ですか?」「事なかれ主義って、どういう意味ですか?」「引っ込み思案って、どういう意味ですか?」「気分が不安定って、どういうことですか?」などといった質問が出る。

かつては、ふつうに使っていてもとくに問題がなかった言葉が通じなくなっている。なぜわからないのだろうと思って学生たちと話してみると、本をまったく読んでいないため語彙が非常に乏しいのである。

全国大学生活協同組合連合会が実施している調査によれば、本をまったく読まない大学生の比率は、1987年には13・1パーセント、1990年も13・4パーセントと1割を少し超える程度だったのが、徐々に比率が高まり2004年から2012年までは30パーセント台半ばを推移し、2013年に40・5パーセントと4割を超えると、2017年には53・1パーセントとついに5割を超えた。その後も5割前後を推移している。つまり、大学生の半数が本をまったく読まない時代になったのである。

それに加えて、友だちとのやりとりもSNSによるごく短い言葉が中心となっている。質問項目にあるよくわからない言葉についても、

「だって、そんな言葉、友だちとの会話で使わないし、ラインでも使わないし……」

などと言う。本も読まず、マンガの吹き出し程度の言葉のやりとりしかしないとしたら、語彙力や読解力が高まるわけがない。

語彙力や読解力の低下は、平易なはずの実用文の理解さえ困難にする。たとえば、性格検査や適性検査を実施した後、採点の仕方について簡単な解説をし、マニュアルを見ながら各自採点をするように指示すると、かつては全員が採点できたものだった。ところが、採点の仕方がわからなくて質問する学生や、見回っていると間違ったやり方で採点している学生が目立つようになってきた。つまり、マニュアルのような平易な実用文さえもうまく読解できないようなのだ。

そんな大学生の国語力の乏しさを示すデータもある。2004年にメディア教育開発センターが19大学、6短大、1国立高等専門学校の計26校の新入生を対象に、日本語の語彙力調査を実施している。2002年に中高生20万人に実施した結果をもとに大学生の実力を判定したところ、中3レベル以下の学生が、国立大学（3校）で6パーセント、私立大学（16校）で19パーセント、短期大学では35パーセントにもなったのである（「毎日新聞」2005年6月8日）。

読書しない大学生がこのところ急激に増えていることからして、国語力の低下はよりいっそう深刻化していると思われる。

そうなると、中高生にしろ大学生にしろ、教科書を読んでも内容を理解できないだけでなく、授業中に教師が解説する言葉も十分に理解できていない者がかなりの数にのぼるはずである。日本語で書いてあり、日本語で話しているのだから、当然、理解できているだろうと思うかもしれないが、じつはそうではないようなのだ。

ネットにより剝き出しになる衝動

何年か前のことになるが、福山雅治と吹石一恵の人気俳優同士の結婚は大きな話題になったが、福山と親しい間柄のお笑いタレント今田耕司が、福山から〝結婚はどうするんだ〟と心配された、というような話が伝わると、ネット上で、結婚したら急に上から目線になった、余計なお世話だなど、福山に対する批判が殺到したという。

福山ロスと言われるほど、福山の結婚はファンにとって大きな衝撃となったのは間違いない。好きなタレントを奪われたみたいな気持ちになるのはわかるが、好きならその人の幸せを祝福してあげようという気持ちになってもいいだろう。愛と憎しみは紙一重というが、ちょっとしたことで反転してしまうこともある。

もしかしたら、とくにファンではなく、結婚願望が強いのに相手がいないという人たちが、今田のエピソードに過剰反応したのかもしれない。

男児を出産したモデルの蛯原友里がブログで、お腹にいた赤ちゃんが自分の胸ですやすや眠っている寝顔を見ていると、とても愛おしく味わったことのない幸せな気持ちに包まれ毎日感動している、といった趣旨の書き込みをしたときも、それに対する過剰反応が話題になった。

赤ちゃんと共にいる幸せを綴ったことにより、「子どもを産めない女は幸せになれないっていうことか」「子どもを産んだとたんに産んでない女を見下し始めた」などといった批判にさらされたのだ。

そこには羨ましい気持ちが働いているのが読み取れる。だが、赤ちゃんを抱いて見つめているると幸せな気持ちになるという言葉から、子どもを産めない女は幸せになれないというったメッセージを深読みしてしまうところに、強烈な攻撃性を感じざるを得ない。


五輪エンブレムのパクリ疑惑も大騒動を巻き起こした。

2020年東京五輪のエンブレムに選ばれた佐野研二郎のデザインに対して、ベルギーのリエージュ劇場のロゴに似ているとし、ロゴの制作者が盗作だとして使用差し止めを求める文書を日本オリンピック委員会に送ってきた。

これにより盗作ではないかとの疑惑が浮上し、結局、佐野氏は作品を取り下げ、佐野作品の公式エンブレムとしての使用は中止となったわけだが、その間にネット上で佐野氏の過去のあらゆる作品を取り上げ、何かのパクリなのではと必死になって検索する人たちが多数いたことも話題になった。

「このデザインはこれと似ている、パクリでは？」といった趣旨の書き込みが相次いだのだ。佐野氏の過去のありとあらゆるデザインを検索し、それと似たデザインを探すということに、それほど執念を燃やす人たちがいたのである。

このような人たちは、もしかしたら普段仕事をしているときよりも、はるかに熱心に検索に励み、喜びさえ感じて集中していたのではないか。毎日数千件のツイートがあり、もっとも多かった日は一万件を超えたというのである。

そこには、人を攻撃し、引きずり下ろすことに快感を覚え、日頃の鬱憤を晴らそうとする、そんな攻撃的な心理が働いていなかっただろうか。

そう考えると、非常に見苦しいことをしてしまっているわけだが、そんな自分を振り返る気持ちの余裕をなくさせ、思考停止に陥らせる魔力をネット空間はもっているようだ。

バイトテロなどと呼ばれる現象も、思考停止の最たる産物と言ってよいだろう。

アルバイト先の飲食店の商品や食器を使ってふざけたポーズを取っているところを自撮りしてネット上に投稿し、不衛生だとして炎上する。アルバイト先の食品を収納してある冷蔵庫のなかに入ったり、冷凍ケースのアイスクリームの上に寝そべったりしている様子を友だちに写してもらい、ネット上に投稿し、不衛生だとして炎上する。

このような事件が後を絶たない。いたずら行為がバレてアルバイトをクビになるだけでなく、賠償責任まで負わされることさえある。

アルバイトだけでなく、客が悪ふざけをしている様子を自らネット上に投稿し、不衛生だとして炎上するケースもある。最近、回転寿司店等でそのようなネット投稿をしたケースがつぎつぎに発覚し、「もう回転寿司には行けない」といった声が上がったりして、店の側は客足が遠のいたり対策費用がかかったりと大損害を被るし、大きな社会問題となっている。

店ばかりではない。立ち入り禁止の線路内に侵入し、線路上でポーズを取って記念撮影してネット上に投稿し、危険行為だとして炎上する。遊園地などで禁じられている危険行為をしているところを自撮りしてネット上に投稿し、違反行為だとして炎上する。自分が万引きしているところを自撮りしてネット上に投稿し、これは犯罪だと炎上する。

ネット上に投稿などしたら、自分がまずいことをしたのがバレてしまう。でも自分だとわかってもらえなければ、みんなをアッと言わせて承認欲求を満たすことができない。そこで、危険を冒してでも投稿してしまう。冷静な判断力を失い、衝動に負けてしまうのだ。

ネット空間が攻撃衝動を刺激する理由

そもそもネット空間には攻撃的なやりとりが非常に多いと言われる。

実際、ツイッターを使っている人たちは、攻撃的なツイートをしている人をよく見かけるという。自分の書き込みに対して攻撃的な批判や中傷的な書き込みが返ってきたという人も少なくない。自分自身も、ネットになるとつい攻撃的なことを書き込んでしまうという人もいる。

ネット空間でのやりとりを見ていると、相手の反論を許さないような雰囲気が漂う。建設的な議論によってより良い結論にたどり着こうとか、気づきを得ようといった感じではなく、相手を打ち負かすことで自分の優位を誇示しようといった感じがある。

また、普段は遠慮気味でおとなしく穏やかな感じの人物が、ツイッターやオンラインゲームになると、口汚くののしったり、攻撃的な発言をしたりするというのも、しばしばあることだ。

ネット空間でつい攻撃的になってしまう理由として、まず第一に、ネット上のやりとりでは相手に配慮する必要性が低いということがあげられる。

対面の場合は、こちらが攻撃的なことを言った場合、相手の傷ついた様子や腹を立てた様子、困った様子、あるいは悲しそうな様子が、表情や声の調子で伝わってくるし、言い返してくることもある。

だが、ネット上のやりとりでは、相手の様子が伝わってこない。まずは一方的にこちらの言いたいことを書き込むだけである。目の前に相手はいないので、対面と比べたら、相手をそれほど意識せずに言いたいことを言いやすい。

第二に、ネット上では幻想的万能感をもつ人たちが発信していることが多いということがあげられる。

ネット社会になって、その気になればだれもが不特定多数に対して発信することができるようになった。不特定多数への発信は、社会的に大きな影響力をもつため、自分は大きな影響力を行使できる、自分は何でもできる、といった幻想的万能感をもつ人たちが出てきた。また、ネットで積極的に発信している人は、幻想的万能感をもち、自己誇大感を抱えているため、自分が絶対正しいと思い込み、人の意見に耳を貸さない傾向がある。そのため、反論されたりすると、ムキになって応戦する。

第三に、匿名性が保たれるということがある。自分がだれだか相手にも周囲にも知られないわけだから、自分は安全な場所に身を置きながら人を攻撃できる。

匿名性が攻撃行動を促進するというのは、だれもが経験的に納得できるはずだが、心理学の実験によっても証明されている。

第四に、スマホによって瞬時にネット上で反応できるようになったことがあげられる。

パソコンの時代には、ネット環境があっても、家に帰ってパソコンを起動しないと書き込めなかった。そのため、学校や職場で、あるいは帰り道とかで腹立たしいことがあって、「書き込んでやりたい」「こき下ろしてやりたい」という攻撃的衝動に駆られても、その場ではどうにもならず、帰ってからということになる。

だが、家に着くまでに頭が冷えて、「もう、いいや」といった気分になる。あるいは忘れてしまう。パソコンの時代には、いやでも冷静さを取り戻すための時間が与えられていたのである。

ところが、スマホの時代になって、攻撃的な書き込みをしてやりたい衝動に駆られたら、その瞬間に書き込んで発信することができるようになった。冷静な判断抜きに衝動に任せて発信してしまうため、現実的な配慮を欠くことが多く、衝動的かつ攻撃的な発信がそこらじゅうで猛威を振るうようになっている。

よく考えずに過剰反応してしまう

ネット炎上がしばしば話題になるが、そのような衝動的に反応する傾向が、ネットのみならず現実世界でもよくみられるようになってきた。

幼稚園や小学校の運動会などで、わが子や孫の晴れ姿を撮影しようとする保護者たちの最前列の場所取りが過熱化したり、後ろの人に配慮せずに三脚を立てて撮影していてトラブルになったりと、自己中心的な行動が目立つようになってきた。そんななか、学芸会や校内合唱などで、わが子が主役に抜擢されないと、

「なぜ、ウチの子が主役じゃないんですか？」

「どうして、ピアノの担当はウチの子じゃないんですか？」

などとクレームをつける保護者が増えてきたため、幼稚園も学校も、みんなが主役となるような演出に配慮するなどといったおかしなことが起こっている。

たとえば、学芸会において、何人もの主役が入れ替わるというような不自然なやり方がとられることもある。桃太郎を16人の子が演じたといったケースさえある。それは、「なぜ、ウチの子が主役じゃないんですか？」といった保護者のクレームを恐れてのことだという。

でも、だれもが主役でなければならないのだろうか。サポート役は負け犬であり、犠牲者なのか。主役になれなかった人の人生は価値がないのか。そうだというなら、そのよう

な価値観が多くの人たちに挫折感を抱かせることになる。

そうした価値観でいけば、俳優のなかでも主演俳優だけが価値があり、脇役の俳優はみんな負け組で価値がないということになる。演劇や映画の世界でも、俳優や監督だけが価値があり、それをサポートする道具係や照明係、メイク担当などの裏方は価値がないというのだろうか。

スポーツ観戦に行くと、応援団もチアガールも必死に応援している。主役はあくまでも選手だし、いくら応援団やチアガールが頑張ったところで、チームの勝敗には関係ないかもしれない。たとえ勝っても、選手と違ってヒーローにもヒロインにもなれない。だが、一生懸命に応援している人は、自分が主役かどうかといった自己中心的な構図でものごとを見ているわけではない。そんな打算よりも、一体感と役割意識で充実し燃焼している。

そのように冷静に振り返ってみれば、わが子が主役に抜擢されなかったからといって大騒ぎする必要などないことに気づくはずだ。

夏になると、どこの学校でも熱中症になる生徒が出てくる。そこで、一定の温度より気温が高いときは戸外での運動をやめるとか、水分補給を心がけるなどの対策を取るところが多い。それでも、たまに熱中症気味の生徒が出ることがある。

その保護者が冷静であれば、本人に水分補給に気をつけるように注意したり、家でも塩分の補給を心がけたりといったことをして、いちいち学校にクレームをつけるようなことはない。クレームをつけるとしたら、部活の先生や先輩が部活中の水分補給を許さないとか、炎天下で長時間運動させるというような特別な事情がある場合に限られる。

ところが、そんな特別な事情もないのに、わが子が熱中症気味になったといって学校にクレームをつける保護者がいる。すると、学校側は、とくに落ち度があったとは思えないのに、戸外での部活を制限したりする。一人、あるいはほんの数人が熱中症気味になったというだけで、何の問題もなくふつうに部活をしていた数百人の生徒たちの行動が制約を受けるのである。

このような学校側の対応も、まさに過剰反応と言ってよいだろうが、保護者からの過剰反応とも言えるクレームを恐れるあまり、過剰な対応をしてしまうのである。

ゲームやインターネットなど、人工的な空間で遊ぶことが多い今どきの子どもたちは、自然から離れた生活を送っているため、自然体験を与えるのは非常に大切なことである。

自然体験教育の一環として、田植えを経験させたり、芋掘りを経験させたりということが、しばしば行われている。だが、そこでも保護者の過剰反応があり、それに対して幼稚園や学校側も過剰な対応を取りがちとなっている。

たとえば、田植え体験に対しても、うちの子は泥水に入るのを嫌がっているから、このような活動はやめてほしいといったクレームや、あんな足腰を酷使する重労働をさせる必要はないだろう、可哀想だといったクレームがつくことがある。そんな軟弱なクレームにいちいち屈することはないと思うだろうが、

「教育委員会に訴えるぞ」

というような脅し文句を、保護者だけでなく生徒までが口にする時代であり、保護者からのクレームを過剰に恐れるため、田植え体験という貴重な教育をやめてしまう学校が出てくる。

芋掘りというのは、田植えよりもっと多くの子どもたちが昔から体験してきたものであろう。ところが、芋掘り体験に対しても、保護者からのクレームがあるようなのだ。たとえば、子どもによって掘って家に持ち帰る芋の大きさが違って不公平だといったクレームがあるらしい。わが子が持ち帰った芋が小さすぎて不満なら、

「もっと大きいのを掘れなかったのか。今度一緒に行って芋掘りのコツを教えてやろう」などと、わが子に言うべきであって、先生に文句を言うようなことではないだろう。だが、今の幼稚園も学校も、保護者の過剰反応的なクレームにも過剰に対応する。

困った先生から相談を受けた農家の人が、つぎからはそのような不公平が起こらないようにと、小さな芋を間引きし、できるだけ均一な大きさの芋を掘れるように配慮することさえあるようだ。

このように、非常識で自己中心的な保護者からの理不尽なクレームがまさに思考停止による過剰反応であり、それに対して学校側が過剰に対応することも思考停止と言える。

ごく少数の非常識なクレームにビクつき、いちいち対応するために、過剰反応的なクレームが後を絶たず、それによって良識ある多くの生徒たちに不利益が生じることになるのはいかがなものか。そこには思考停止による不適切な反応の連鎖がみられる。

第2章　思考停止に陥りやすい日本人の心理

相手を信頼すべきで疑うのは失礼だ、と思う心理

日本で生まれ育つと、当たり前のようになっており、とくに意識しないことも、海外の人と接すると強烈に意識せざるを得なくなるということがある。そのひとつが、人を疑わず信頼しようとする心理傾向だ。

私たちは、生まれ落ちた社会の文化にふさわしい人間につくられていく。これを社会化と言うが、日本に生まれれば日本人らしく自己主張を慎み、謙虚さを身につけ、相手を尊重し、思いやりをもって相手の気持ちを汲み取ろうとするようになるとともに、信頼すれば相手は必ずこちらの気持ちに応えてくれるはずと信じ、人を疑うのは失礼だといった感覚を身につけていく。

アメリカに生まれれば、アメリカ人らしく説得力を磨き、堂々と自己主張し、何でもはっきり口にするようになり、また人を警戒し、自己責任において自分の身を守る姿勢を身につけていく。

社会化の主な担い手は親であるが、その担い手は親ばかりではない。学校教育においても、その社会の求める人物像が示され、その社会を生きるために必要な性質を身につける

ように促す社会化が行われる。

では、学校教育において、どのような人物像を理想として社会化が行われているのか。それを端的に示しているのが教科書である。教科書に描かれている人物像、それは必ずしも人間として描かれるわけではなく、年少児対象の場合は動物であったりもするが、それを検討することで、その社会がどのような人物像を理想としているかを知ることができる。

元官僚の今井康夫は、豊かな海外生活の体験をもとに日米の文化差に関心をもち、日本とアメリカの小学校1年生から6年生までの国語の教科書の内容を比較検討している。

その結果、アメリカの教科書には「自己主張」「自立心・独立心」「強い意志」など、「強い個人」をテーマとする内容が非常に多いのに対して、日本の教科書ではそういったテーマの内容はきわめて少ないことがわかった。

アメリカの教科書の２０９篇、日本の教科書の２１１篇を分析の対象としているが、「強い個人」というテーマはアメリカでは53篇もあるのに対して、日本ではわずか7篇にすぎなかった。細かく見ていくと、「自己主張」というテーマはアメリカの7篇に対して日本では皆無、「自立心・独立心」というテーマもアメリカの7篇に対して日本では皆無、アメリカの教科書で多く取り上げられている「自己主張」というテーマが、日本の教科書ではまったく取り上げられていない。このように、自己主張をよしとするアメリカ文化と自己主張は慎むべしとする日本文化の対照性が端的にあらわれている。

また、人間関係の描かれ方が非常に対照的であった。アメリカでは「暖かい人間関係」と「緊張感のある人間関係」が均等に描かれているのに対して、日本ではすべて「暖かい人間関係」になっている。「緊張感のある人間関係」というテーマは、アメリカでは24篇あるのに対して、日本では皆無だった。「暖かい人間関係」というテーマは、アメリカの23篇に対して日本では54篇と非常に多くなっていた。

このように、日本の教科書では、良好な人間関係ばかりが描かれ、対立的な人間関係はまったく描かれていないことがわかる。

人と人が対立するのは当然とみなすアメリカ文化と、人との対立を極力避けようとする日本文化、その対照性が、ここにも如実にあらわれている。

「やさしさ、相手の気持ちになって」といったテーマも、アメリカの2篇に対して日本では16篇と非常に差が大きく、このような性質が日本独自の特徴であることを示している。

また心理学者塘利枝子《とも》は、東アジア4カ国の小学校の教科書の分析を行っているが、そのなかの日中の比較結果には両文化にふさわしい人物像の対照性が見事にあらわれている。日本の教科書では、敵とは知らずに無邪気に善意を信じて懐に飛び込んだ結果、本来、敵であったはずの相手の気持ちが変わり、味方になってくれたという作品がみられる。

たとえば、小学校2年生用の「ニャーゴ」では、3匹の子ネズミが、本来、敵であるおじさんネコのことを無邪気に信じて親切にするため、このネズミたちを食べる機会を狙っていたおじさんネコも、その無垢な行為に心を動かされ、子ネズミたちに好意を抱くようになる。

同じく小学校2年生用の「きつねのおきゃくさま」では、ひよこをもう少し太らせてから食べようと企んでいる狐が、親切を装っている自分のことをすっかり信じ込み、やさしいお兄ちゃんと慕うひよこの無邪気さに心を打たれ、いつの間にかひよこを食べようという気持ちをなくす。そして、ついにはひよこの命を狙い襲いかかってきたオオカミに立ち向かい、命を落としてまで狐はひよこを守ろうとする。

一方、中国の教科書では、敵はあくまでも敵であり、うっかり同情すると痛い目に遭うことを諭し、けっして命を救おうなどとしてはならないことを強調する作品がみられる。

たとえば、小学校3年生用の「尻尾を振る狼」では、狼が羊を騙そうとするが、羊は騙されず、最後には「猟師があなたを片付けに来る」と言い残して、狼のそばから離れていく。

小学校1年生用の「農夫と蛇」では、ある寒い冬の日、道で凍える蛇をかわいそうに思った農夫は、自分の懐に蛇を入れて温めてあげたところ、蛇はよみがえって農夫を嚙み、農夫は毒に当たって死んでしまう。死ぬ間際に農夫は「蛇は人間には有害なやつだから、私がやつをかわいそうに思うことはまちがいだ」とつぶやく。

このような中国の教科書の内容をみると、日本人なら、小学校の子どもたちにこんな人間不信を植えつけるような内容を吹き込むなんて、と強い違和感を覚えざるを得ないはずだ。でも、それは私たち日本人が性善説を当然のように掲げ、こちらが善意をもって接すれば、どんな相手も善意の人になってくれるはずと信じているからである。

そのように人格形成が行われているため、私たち日本人は、人の善意を裏切るようなことはしにくいし、人を疑うようなこともしにくいのである。

逆に中国の人々は、日本の教科書の内容をみれば、相手を信じて善意をもって接すればどんな敵も悪人も好意的になってくれるなんて甘い、そんな無邪気な態度では容易に騙されて痛い目に遭うだろうと呆れるに違いない。

グローバル化の動きのなかで、物や人が国境を越えて移動するだけでなく、価値観も国境を越えて影響を与えている。そんななか、日本社会にも性善説では対応できないものごとが増えており、さまざまな詐欺行為が膨大な数に上っているが、相手を信頼すべきで疑ってはいけないといった思いを無意識のうちに抱えているため、いとも簡単に騙されてしまうのである。

数年前、大手建設会社が、土地の持ち主を装って不動産売買の詐欺を働く地面師集団に騙され、50億円以上の損害を被るという事件が明るみに出て社会に大きな衝撃を与えた。

その事件でも、土地の持ち主を装う売り主の身分確認をきちんとしていなかったことが致命的な結果につながっていた。身分確認をしつこくするのは失礼にあたる、そんなことをして気分を害してはいけないといった遠慮が働いたのだろう。

私たち日本人は、ともすると相手を疑うのは失礼だといった思いに縛られ、きちんとものごとを検討せずに相手の要求を受け入れてしまいがちである。そうした文化的に植えつけられている心の癖を自覚し、しっかり考えて行動する必要があるだろう。

相手の期待を裏切りたくない、という心理

私たち日本人が騙されやすかったり、交渉において相手のペースに巻き込まれやすかったりするのは、前項で指摘したように性善説に立ち、人を疑ってはいけない、相手を信じるべきである、と心に刻まれていることに加えて、相手の期待を裏切りたくないという心理が働いているためでもある。

そうした心理的特徴は、日常のコミュニケーション様式のみならず、たとえば動機づけにもあらわれている。

教育心理学者ハミルトンたちは、日本とアメリカの小学校5年生を対象に、成績や勉強に対する意識についての比較研究を行っている。そのなかで、とくに日米で違いがみられたのが、勉強をしたり、良い成績を取ろうとしたりする理由であった。

アメリカの子どもには、自分の知識が増えるなど、自分のためという反応が多かった。それに対して、日本の子どもには、「お母さんが喜ぶ」など、両親や先生を喜ばすため、あるいは悲しませないためという反応が目立った。

教育心理学者臼井博は、このハミルトンたちの子どもの達成動機に関する知見は、デヴ

ォスによる日本の大人の達成動機についての知見と一致するという。達成動機とは、ものごとを成し遂げたいという心の動きを指す。

デヴォスは、日本人が何かを成し遂げたいと思って頑張るとき、その心の深層には母子の絆があると指摘する。

日本の母親は、子どものために自分自身の利己的な欲求を抑える。いわば、子どものためなら自己犠牲を払う。このような母親のマゾヒスティックな行動を見ている子どもは、母親が自分のために犠牲になっていることに罪悪感をもつ。そのため母親を楽にさせてあげたいと思って頑張って勉強したり、仕事に精を出したりする。

デヴォスは、このような罪悪感に基づく達成への義務感のことをモラルマゾヒズムと呼んだ。

日本人は、「頑張らないと申し訳ない」といった気持ちに駆り立てられて頑張るのだというわけである。

近頃は、政府がやたらと自己愛をくすぐり、自分の活躍のためだけに生きるのがよいといったメッセージを流すため、自己犠牲的に子どもに尽くすという母親像が今の時代にどれほどあてはまるのかはわからない。

だが、今どきの学生たちと話しても、サボると親に悪いといった言葉をよく口にする。モラルマゾヒズムは、相手が母親とは限らないが、現代でも日本人の心の深層に刻まれているのではないだろうか。

実際、頑張る理由として、私たち日本人は、自分にとって大切な人物を喜ばせたいとか、悲しませたくないといった人間関係的な要因をあげることが多い。頑張れないときや成果を上げられないときは、そういう人に対して「申し訳ない」といった思いに駆られる。スポーツ選手が勝利インタビューなどで、お世話になっている監督やコーチのために頑張った、恩返しができたというようなコメントをする光景をしばしば見かける。そこがいかにも日本的と言える。

私たちは、何事に関しても、絶えず相手の期待を意識して、それを裏切らないように行動しようとするようなところがあるのである。

そのため、人を疑わないだけでなく、嫌と言いにくいということになりがちである。たとえば、取引相手から、向こうに都合のよい条件を求められたときなど、海外の人なら即座に「それは無理」と言えるが、日本人の場合は相手の期待を裏切りたくないという気持ちが働くため、即座に拒否するということができない。それで不利な契約を結んでしまったりする。人の気持ちにとらわれるあまり、条件面についてじっくり検討する余裕を失ってしまうのである。

日本社会に「忖度」がはびこるのも、相手の期待を裏切りたくないという思いが強いからと言える。

相手の意向を配慮しつつ行動するのは、私たち日本人の基本的な行動原理となっている。自分の意向に従って動き、相手を説得するのが基本的な行動原理となっている欧米人には信じがたいことだろうが、私たち日本人にとっては相手が何を期待しているかが重要なのだ。このことも良きにつけ悪しきにつけ思考停止に陥らせる要因と言えるだろう。

会議で疑問を口にしにくい心理

会議の場で、「それはおかしい」とか「それはまずいんじゃないか」と思うような議案が、だれも異議を唱えることなく、すんなり通ってしまうというのを経験した、という人も多いのではないか。そのようなことを言う人自身も、「おかしい」とか「まずい」とか思いながら異議を唱えなかったわけだから、問題ありと言わなければならない。

だが、それはそこらじゅうの会議でみられる光景と言ってよいだろう。極端な場合は、会議に出ている人の大半が「それはおかしい」とか「それはまずいんじゃないか」と思っているのに、だれも異議を唱えず、すんなり通ってしまう。

そして、会議の後で、「まさかあんな議案が通るとは思いませんでしたね」「そうですよね。でも疑問を口にできるような雰囲気じゃなかったですからね」などといった言葉を交わしたりする。

今どきの学生たちでさえ、グループでの話し合いの場で、同じグループの人の意見がおかしいと思っても、疑問を口にしにくいと言う。結局、反対意見を出せないまま、納得のいかない結論がグループの結論になってしまうことが多いと言う者もいる。

はっきり言葉でやりとりせずに相手の意向を汲み取ろうとする、あるいはみんなの意向を汲み取ろうとする。いわゆる「空気を読む」のが、日本的コミュニケーションの特徴と言えるが、戦争の最前線での重大な意思決定の場面でさえ、言葉抜きで「空気」で動いてしまう。じっくり考え検討するということなく、何となく雰囲気で決まってしまう。

大東亜戦争における諸々の作戦において日本軍がなぜ失敗したのかを組織論的に分析している戸部良一たちは、日本軍の戦略策定が論理に基づくというよりも、多分に情緒や空気に支配される傾向があったことを指摘している。

沖縄戦の際に、連合艦隊司令部が、戦艦大和がその他の残存艦とともに海上特攻隊として沖縄西方海面に突入し、敵水上艦隊と輸送船団を攻撃するという作戦を立案したことについて、つぎのように分析する。

「大和」以下の艦が直衛機を持たないで、敵の完全な制空権下で進撃しても、沖縄まで到達することは絶対に不可能であった（中略）。これは壮大な自滅作戦という以外にない。事実、連合艦隊司令部の会議でも参加者の誰もが成功する可能性があるとは考えなかった。これはもはや作戦というべきものではない、理性的判断が情緒的、精神的判断に途を譲ってしまった。軍令部次長の小沢治三郎中将は、このときのことを述懐して、「全般の空気よりして、当時も今日も（「大和」の）特攻出撃は当然と思う」と発言している。

この「空気」はノモンハンから沖縄までの主要な作戦の策定、準備、実施の各段階で随所に顔を出している。空気が支配する場所では、あらゆる議論は最後には空気によって決定される。

（戸部良一他『失敗の本質——日本軍の組織論的研究』中公文庫）

戦争の最前線における戦略策定のような重大な局面においても、「空気」の力が猛威を振るい、言葉よりも空気でものごとが決定されてしまう。それは非常に恐ろしいことであり、無謀なことであるわけだが、そんなときでさえも、いわば思考停止に陥り、理屈抜きに空気で動いてしまう。

それは、私たち日本人が日頃から相手の気持ちや立場に配慮するコミュニケーションにいかに慣れ親しんでいるかを証拠立てるものと言ってよいだろう。

理屈抜きの空気が一番の決定権をもつ

日本的な組織の会議では、全会一致で議決されるということが非常に多い。

会議などで、提案された方針に対して疑問を感じても、質問できず、ましてや反対意見など言えずに、「異議がないようでしたら承認ということでよろしいですか？」という議長の声にだれもが沈黙し、「では、全会一致で承認ということで」となってしまう。じつは、多くの者が疑問を感じていたにもかかわらず、全会一致で承認ということになったりする。そのようなことがしばしば起こっている。

大変なことが決まってしまったと騒いでいるので、反対ならなぜ疑問を口にしなかったのかと尋ねると、

「疑問を口にできるような空気じゃなかった」

「反論できるような空気じゃなかった」

などと口々に言う。

このような「空気」の圧力について、山本七平は、会議の参加者は何やらわからぬ「空気」に自らの意思決定を拘束されていると言う。それまでの議論の論理的結果として結論が採用されるのではなく、「空気」に適合しているために結論として採用されるのである。

採否は「空気」がきめる。従って「空気だ」と言われて拒否された場合、こちらにはもう反論の方法はない。人は、空気を相手に議論するわけにいかないからである。

（山本七平『「空気」の研究』文春文庫）

山本も、前出の戦艦大和の無謀な出撃に関する軍令部次長小沢治三郎中将の「全般の空気よりして、当時も今日も（大和の）特攻出撃は当然と思う」という発言を取り上げ、至

る所で最終的な決定者は「人でなく空気」であると言う。

大和の出撃を無謀とする人びとにはすべて、それを無謀と断ずるに至る細かいデータ、すなわち明確な根拠がある。だが一方、当然とする方の主張はそういったデータ乃至根拠は全くなく、その正当性の根拠は専ら「空気」なのである。従ってここでも、あらゆる議論は最後には「空気」できめられる。最終的決定を下し、「そうせざるを得なくしている」力をもっているのは一に「空気」であって、それ以外にない。

(同書)

このようなことが一般的であるため、山本は「空気」というのは大きな絶対的な権力をもつ妖怪だとする。

一種の「超能力」かも知れない。何しろ、専門家ぞろいの海軍の首脳に、「作戦として形をなさない」ことが「明白な事実」であることを、強行させ、後になると、その最高責任者が、なぜそれを行なったかを一言も説明できないような状態に落し込んで

しまうのだから、（略）　　　　　　　　　　　　　　　　　　　（同書）

こうして統計も資料も科学的分析や論理的論証も一切が無駄となり、そういうものをいかに精緻に組み立てても、いざとなるとそれらは一切消し飛んで、すべてが「空気」によって決まってしまうのだという。

このように、日本の組織においては「空気」が絶大な威力を発揮するため、きちんとした議論ができないばかりか、おかしなことが堂々とまかり通ってしまう。まさに思考停止に陥ってしまうのである。

SNSが同調圧力による思考停止を促す

周囲の人たちの気持ちに配慮し、その期待に応えるというのは、非常に大事なことではあるが、それも行きすぎると、周囲の人たちの意に反することは言えない、できないという同調圧力となり、大きなストレスになる。

群れるのはカッコ悪いとして孤高を気取ったかつての若者たちと違って、今どきの若者はやたら群れる傾向がある。ただし、絶えず群れている若者たちも、けっしてポジティブな気持ちで群れているわけではないようだ。

人間関係の悩みを抱える学生たちの話を聞いていると、仲間グループの同調圧力を苦痛に思いながらも、そこから抜け出す覚悟ができないもどかしさを強く感じていることがわかる。

「自分を押し殺して、人を笑わせたりしてムードメーカーに徹してるけど、ストレスが溜まる」

「こんな窮屈なつきあいはもうイヤだって思って、爆発しそうになることがある」

「こんなグループづきあいは意味がない、こんなのほんとの友だちじゃない、もっとホンネでつきあえる友だちがほしいと思うのに、仲間グループから抜ける勇気がない」

「その場にいるときは無理に合わせてるから、気持ちが消耗し疲れ切ってしまい、家に帰って一人になると、こんな不毛なつきあいからはもう抜け出そう、ちょっと距離を置こうって思うんだけど、翌日になるとまたみんなと一緒につるんでる自分がいる」……

無理に合わせるだけ。無理に笑う欺瞞。グループの息苦しさを感じる。でも、グループから抜けると孤立してしまい、居場所がなくなる。そう思うと怖くなり、我慢して虚しいつきあいを続けている。このような趣旨のことを口々に言う。

同調圧力によるストレスは、けっして最近になってクローズアップされるようになったわけではない。このような声はけっこう前からあったのだが、ＳＮＳの進化により、グループの同調圧力が、一緒にいないときまで強烈に襲いかかってくるようになったことが大きい。

対面でのつきあいが中心の時代なら、いくら学校や職場で仲間グループの同調圧力に苦しめられても、その場を離れれば解放された。イヤな人間関係、無視できない世間の鬱陶しい人づきあいも、その場だけ我慢すればよかったし、時間的にも少し我慢すればよかった。別れれば自由になれた。

ところが、ＳＮＳのせいで、今は別れてからもメッセージが入ってくるし、家にいても入ってくる。メッセージを読むと既読がつくから、即座に反応しないといけない。逆に、既読がついたからこっちのメッセージを読んでいるはずなのに何の返答もないと、怒らせたのでは、気に障ったかな、嫌われたのかも、などと気になって仕方がない。

このように、一緒の場を離れても、通学・通勤途上でも、帰宅後も、どこにいても、どんな時間でも、仲間グループのネットワークから解放されることがなくなった。みんなの目から自由になれない。みんなの目が日常生活の至る所に遠慮なく侵入してくる。

SNS利用者の多くは、仲間グループのメンバーたちの気持ちを傷つけないように気づかったり、こちらのことをどう思っているのだろうと気にかけたり、こちらにどんな反応を期待しているのだろうと相手の意向を読んだりしていなければならない。そこでSNS疲れという言葉もよく耳にするようになった。

SNSには、他の人の考えや行動が見えるようになって気になるし、こちらの考えや行動も他人に見えるから気になるというように、両方向からの息苦しさがある。みんながどうしているかが気になる。また、こっちのことをみんながどう思うかが気になる。常に監視されているような気持ちで、気が休まらないわけだ。

そのように気をつかうばかりで、自由にものを考えることがしにくくなってしまうのである。

「お任せ」にすれば悪いようにはしないだろう、という心理

若い頃のことだが、アメリカに行ってはじめてサンドウィッチ店で注文したとき、ツナやハムなどのメインとなる具を指定するだけでなく、玉ねぎやトマトやピクルスなどの野

菜を入れるか入れないかまでいちいち指示しないといけないし、パンの切り方も半分に切るとか4つ切りにするとか指示しないといけないのに戸惑った。

前の人たちを見ていてそれがわかり、どうするか考えていたのだが、順番が来ると、いきなりつまずいた。パンの種類も指示しないといけなかったのだ。どんな種類があるのかわからず慌てるとともに、そこまで自分で決めるのかと驚いた。

今でこそ、アメリカの資本が入ってきており、そうした方式のサンドウィッチチェーン店もあるので、そう驚くべきことではないかもしれないが、当時の日本では、「ツナサンド」とか「ハムサンド」とか言うだけでよかった。あとは「お任せ」になっていた。苦手なパセリが入っていれば、自分でそれを取り除けばよいし、サンドウィッチを注文する際にパンの種類や切り方まで指定することはなかった。

そのとき思ったのは、私たち日本人は相手に「お任せ」する方式に馴染んでいるということだった。「お任せ」にしていれば間違いないといった感覚もある。店で注文する際も、自分が決めるのでなく、「オススメは何ですか?」と尋ねて、作り手・売り手に「お任せ」する姿勢を示すのも珍しいことではない。

専門家である相手を信頼し、「お任せ」にした方が、よくわからない自分が決めるよりも適切な判断ができると思うからである。「お任せ」にすることで痛い目に遭うことがないため、安心して「お任せ」できるのである。

寿司屋とかでも、「つまみを2人分くらい適当に見繕って盛り合わせにして」などと「お任せ」の注文をする人がいる。ネタによって値段が大きく違ってくるし、そんな注文の仕方をして大丈夫なのかと思うこともあるが、あくどいぼったくり店でない限り、美味しいネタをほどよい料金になるように盛り合わせてくれる。

だが、こうした「お任せ」を海外でやったら、どんな酷い目に遭わされるかわからない。盛り合わせひとつで何万円、あるいはそれ以上請求されるかもしれない。しかも、「お任せ」したのだから、いくらになっても文句は言えない。

だれもが自分の身を守るべく自己中心的に動く文化で暮らしている海外の人たちは、けっして「お任せ」の姿勢を取ることはない。そのため自分で考えて判断する姿勢がしっかり身についている。

ところが、日本で暮らしていると、だれもが相手を疑うのは失礼だといった感覚や、相手の期待を裏切りたくないといった感覚をもっており、自己中心的に動くのでなく相手の身になって動くため、安心して「お任せ」の姿勢が取れるのである。それが、ともすると思考停止を招くことになる。

お上に任せておけば大丈夫という心理

私たち日本人は、相手の言葉や態度に疑問を感じても、対立するのは気まずいといった感覚があるため、反論して対決するような場面になるのを極力避けようとする。

ケンペル、シーボルトと並んで長崎出島の三学者の一人に数えられるツュンベリーは、日本にはじめて植物学をもたらした人物とされるが、１７７５年から76年に日本に滞在し、その後まとめた旅行記のなかで日本について詳細に記述している。

ツュンベリーは、日本人ほど礼儀正しい国民はいないと言う。幼い頃から従順さをしつけられ、年配者もその手本を示すため、他の国のように子どもが叱られたり打たれたりすることはほとんどないし、日本人の親切さと善良さにはしばしば驚かされたと言う。

たとえば、日本で商取引をしているヨーロッパ人の汚いやり方やその欺瞞に対して、ヨーロッパ人だったら思いつく限りの侮《あなど》りや憎悪をあらわし、警戒心を抱くのが当然と思われる場面でも、日本人は非常に寛容で善良であると記している。

ツュンベリーを驚かせた、ヨーロッパ人の汚さや欺瞞に対する日本人の寛容さや善良さは、言ってみれば対決を極力避けようとする日本的な心によるものと言える。

相手がどんなにあくどい人物であっても、善意を信じて懐に飛び込めば、相手もその無邪気さに心を打たれて改心し、味方になってくれる。私たち日本人がそのように教えられて育つのは、すでに小学校の教科書を材料に説明した通りである。

したがって、相手の汚さや欺瞞を暴き出すことによって譲歩を迫るというような対決の姿勢ではなく、寛容な態度をもって良好な雰囲気を醸し出すことで、相手側の譲歩を引き出そうとする。これが日本流ということになる。

このような対決を避けようという態度は、前項で指摘した「お任せ」の姿勢にもつながっていく。

第二次世界大戦中に、戦後の日本統治のヒントをつかむために、日本人の行動パターンを探るべく日本文化の研究を行い、『菊と刀』という日本人論を著した文化人類学者ベネディクトは、西洋人にとってもっとも驚くべき点は、順応と受容が目下の者から湧き出るのであって、目上の者から命じられて順応したり受容したりするのではない、とみなされていることだという。

ベネディクトによる指摘をここでの文脈に沿って言い換えると、つぎのようなことになるだろう。

欧米社会では、上位者の命令によって、下位の者は仕方なく従ったり受け入れたりする。文句があっても、上位者が権力をちらつかせて有無を言わさぬ強制力を行使するため、下位の者はやむを得ず服従する。

それに対して、日本社会では、上位の者が強制力を発揮して押しつけるようなことをしなくても、下位の者が自ら率先して上位者の意向を汲み取って動こうとする。それが欧米人には理解できない。

新型コロナウイルスの感染爆発による行動規制に際しても、海外では違反したら罰金を科すといった強制力が必要不可欠であったのに、日本ではそうした強制力なしに国民の自粛に任せて大丈夫だったことは記憶に新しいはずだ。

命じ、罰をちらつかせて押しつけることなしに、なぜ上位者の思うように下位者を動かすことができるのか。命じられ、罰をちらつかされて押しつけられることもないのに、なぜ下位者は上位者の意向を自ら汲み取って動いたりするのか。そこのところが欧米人には理解できないのだ。

いずれにしても、そうしたお上に任せておけば大丈夫、あるいはお上の意向に従っていればいいという態度は、一種の思考停止でもある。海外では、政府の方針に納得できないときなど、暴動が起きて大変な騒ぎになるが、日本ではそのような暴動がほとんど起こらない。多くの国民は、理不尽さを感じつつも我慢してしまう。

それを寛大さとか忍耐強さといったポジティブな性質に結びつける見方も成り立つだろうが、それは間違いなく思考停止の徴候と言える。

自分で考えて判断するのは、面倒なのは確かだし、「お任せ」にする方が楽かもしれないが、自分で考え判断するのを放棄してしまったら、まさに思考停止である。

自粛でうまくいくことの功罪

前項でも触れたように、コロナ禍により、政府が強制力をもって飲食店など人の集まる店の閉店を命じる国々が出てきても、日本は自粛要請で乗り切ってきた。違反したら罰金を科すとかの制裁がなければ行動規制などできない国々に対して、日本では何の罰則もない自粛要請だけで行動規制が成り立つ。

それは、ある意味では素晴らしいことなのだが、罰則のような明確な基準があるわけではなく、自粛というあいまいな要請であるため、どう行動するかは各個人の判断に任せられている。

ひとりひとりが自分の頭でしっかり考えて判断する習慣が身についていればよいのだが、ともすると集団圧力に動かされて過激な行動に出てしまう。思考停止によって空気に流されてしまうのだ。

自粛要請というのは、要請はするものの、あくまでも各自が自分で考えて判断する余地は残されているわけで、何も強制するものではない。

それにもかかわらず、飲食店やパチンコ店などがきちんと自粛しているかどうかチェックし、営業自粛をしていないと、自粛するように迫る自警団のような集団があちこちにあらわれた。取り締まるようにという電話が警察に相次いだというが、営業していてもけっして違法ではないので取り締まりの対象にはならない。

自粛要請の対象ではなかった業種である書店で、大型書店を中心に自主的な休業が相次いだときも、「こんな時こそ本を読んで自宅での時間に潤いを感じてほしい」と営業を続けていたある大型書店に対して、「どういう神経をしているのか」「即刻、休業しろ」というような電話が多数入り、結局、その店は休業に追い込まれたという（「朝日新聞」２０２０年５月16日）。

あくまでも自粛なのだし、あえて営業している店には、それぞれに言い分があるかもしれず、その書店にも前述のような思いがあったにもかかわらず、そんなことにはまったく関心を向けずに、一方的に正義の鉄槌を下そうとする。

県を越える移動は自粛するように、との要請があったときも、県外ナンバーの車に「即刻出て行け」「コロナをまき散らすな」などの貼り紙をされるといったケースが全国に広がっていった（同紙）。

そうした動きのなか、「県内在住者です」「他県ナンバーですが県内在住者です」などと記したステッカーを貼る県外ナンバー車も出てきた。岩手県在住のある人は、県外ナンバー車だったためスーパーの駐車場で怒鳴られ、「人をこんなに恐ろしいと思ったことはない」と言う。車に乗るのが怖くなり、約30分かかるスーパーにも自転車で行くようになった。だが、その人は、東京に住む親が運転免許を自主返納したため、東京のナンバーの車を譲り受けただけで、県境を越えて移動していたわけではない。そうした嫌がらせを受けないように、その種のステッカーを企業や住民に配布した自治体もあるという（「朝日新聞」2020年7月2日）。

このようにみてくると、同調圧力により自粛でうまくいってしまうというのは、一種の思考停止の徴候でもあり、非常に危ういものを孕んでいると言わざるを得ない。

　ある書店経営者は、店が混雑するのは不安だし、今は家のなかにいてほしいと思い休業したけれども、気が滅入ってしまう人のために本を買えるようにしておきたいと思い、半分だけ店のシャッターを開けた時期もあったという。感染状況を見ながら「閉めるべきかどうか」悩むことが続き、判断疲れがあったようだ。だが、周りの書店の対応はバラバラで、その統一感のなさは、みんなが自分で考えているという証拠なので嬉しかったという（「朝日新聞」２０２０年６月18日）。

海外と違っていると「日本は遅れている」と思ってしまう

　日本人は、何かにつけて海外（とくに欧米）での反応を気にしたり、海外ではどうしているのかを気にする。テレビで討論番組や報道解説番組などをみていても、その時々のテーマの専門家とされる人物が「海外では……」という言葉を連発し、やたらと海外流を紹介し、日本は遅れているというようなコメントを、いかにも得意げにしている場面に出くわすことがある。

　でも、海外と違うから自分たちは遅れているのだと反射的に思ってしまうところに、思考停止を感じざるを得ない。心の奥に刻まれている欧米コンプレックスがもたらす思考停止と言えようか。

冷静に考えてみればすぐにわかることだが、それぞれの文化に固有な伝統的価値観があり、それに基づいた制度や慣習があり、また特徴的な行動パターンがあるわけで、違いがあって当然で、どちらがよいかはそう簡単に判断できるものではない。他の国であれば、

「そんな国もあるんだな」

という程度の反応になるであろうことでも、なぜか日本では、

「だから日本は遅れてるんだ」

「ここが日本のズレてるところなんだよね」

というような反応になり、

「日本も海外に学んで一刻も早く改善していかないと」

といった議論になってしまいがちである。

そもそも文化的伝統が違えば、形の上では同じ制度ややり方を取り入れても、それがもたらす影響はまったく違ったものになる。

ビジネス書でも、翻訳物や「ハーバード流」のように海外流、とくにアメリカ流を売り

物にしたものが目立つが、それは海外流が正しく、また新しくて、日本は遅れているといった思いを無意識のうちに抱えている日本人が多く、その手の本がよく売れるからだろう。

だが、アメリカ社会は日本が理想としモデルにするほどうまくいっているだろうか。犯罪が多く、貧富の差が著しく、病気になっても医療費が高額すぎて富裕層以外はなかなか医者にもかかれず、争い事が多く訴訟だらけである。とても日本がモデルにして目指すような社会ではあり得ない。

さらに言えば、アメリカ流はべつに新しいわけではなく、アメリカ社会では伝統的なやり方なのである。

たとえば、成果主義も雇用の流動性も、べつに新しいとか進んでいるというのではなく、単にアメリカ流であるにすぎない。ゆえにアメリカ流と違う日本が遅れているのではない。

アメリカ流と違うからといって年功賃金や終身雇用などの日本流をつぎつぎに崩してきたが、アメリカ社会で苦しんでいるアメリカ人が非常に多いという現実からすれば、アメリカ流が進んでいるわけでも望ましいわけでもないことは明らかだろう。

日本の社会は、従業員とその家族の生活の安定を重視する人事評価や雇用のシステムで奇跡的な経済発展を遂げてきたわけだし、治安も保たれてきた。でも、ここにきて行き詰まっている。だが、アメリカをはじめ海外の国々も同じく行き詰まっている。

そこで冷静に考えれば、海外と違うからといって、「日本は遅れてる」と海外流に追随する必要はないはずだ。欧米諸国では、海外と何か違うところがあったとして、「自国は遅れている」などといって、海外流を慌てて取り入れようとしたりするだろうか。

私たちも、こうした思考停止を脱して、もう少し地に足のついた動きをすべきなのではないか。

英会話が頭を鍛える勉強だと勘違いしてしまう

中高年の学び直しに関する調査結果を見ると、「もう一度、学び直したいですか？」という問いに対し、80パーセントが「はい」と肯定している。「どんな分野を？」という問いに対しては、1位が「英語」となっている（「朝日新聞」2022年10月1日）。

こうした調査データを見るまでもなく、「何か勉強しないと」「自己研鑽のために頭を鍛えないと」と思うと、多くの人が「英会話」を思い浮かべる様子を身近に見ることが多いのではないか。

だが、じつは、英会話は頭を鍛える勉強とは言えない。英会話というと、日本人は勉強と同じもののように勘違いしてしまいがちだが、日本語の会話で考えてみれば、その勘違いに気づくことができるはずだ。

たとえば、おしゃべりな子が勉強ができるというわけではない。日本語で会話ができる、つまり友だちとペラペラおしゃべりしているからといって、「あの子は頭が良い」とか「あの子はすごい」とか思ったりはしないはずである。

しゃべる内容が高度であったり、教養に溢れていたりするときに、「あの子は頭が良い」とか「あの子はすごい」と思うのであって、問題は話す中身のはずである。

そうであれば、頭を良くしたい、頭を鍛えたいなら、英会話を習っている時間を日本語の本を読む時間にあてるべきだろう。その方が知識・教養が身につき、視野が広がり、頭も鍛えられるはずだ。

どうも日本人は英語コンプレックスが強いため、英会話が得意というと、「すごい！」と思ってしまう傾向がある。日頃から日本語で専門書や教養書を読んでいる学生までもが、英語コンプレックスにより、英会話が苦手なことを気にしがちである。

大学入試センター試験にリスニングが導入されたのは２００６年からだが、これで日本人の英語が変わる、しゃべれる人がどんどん増えると言われたものである。

しかし、英語教育の第一人者である行方昭夫によれば、それから10年近くたっても、英語がしゃべれる若者が増えたという話はあまり聞かないどころか、リスニングテスト導入の頃から、英語を読み、書く力の低下という現象が、多くの学生にみられるようになったのである。

学生たちの英文の読解力の低下を切実に感じている行方は、聞くための勉強に時間と精力を奪われた結果だろうと分析している。読解力がなければ知的活動はできない。ただし、いきなり英語の読解力をつけようとしても無理であり、その前に日本語の読解力が必要となる。まずは日本語でよいので、しっかりと本を読んで読解力を磨くことが大切である。

英会話を勉強と勘違いし、学校教育を英会話中心に切り替えることで、学力低下の問題が深刻化しているといった現実にも目を向ける必要があるだろう。

1993年以降、英語教育を読解や文法から会話中心に転換したことによって、中学生の英語力が顕著に下がったことがデータではっきり示されているのである。

横浜国立大学の斉田智里が、公立高校の入試問題について、20万人のデータを対象に項目応答理論を用いて、英語の学力の経年変化を検討している。その結果、1995年から

２００８年の14年間、毎年一貫して英語の学力は低下し続けていることが明らかになったのだ。学力低下の程度は、偏差値にすると7・4にもなる（和歌山大学「江利川春雄研究室」ブログより）。

こうした学力低下のために、大学でも従来のような英語の文献を使ったゼミが成り立たないといった事態も生じている。英語の読解ができないからである。

英語を母語とする英米の家庭で生まれ育てば、3歳児でも英語をペラペラしゃべりまくる。日本の3歳児が日本語ペラペラなのと同じだ。その程度の会話能力を身につけることを、頭を鍛える大事な勉強と勘違いし、時間や労力を費やす結果、知的活動ができない頭になってしまうのである。

わが子に英会話を習わせたがる親たち

ついに小学校低学年から英会話を習わせることになった。小学校から英語を教えることについては、ちょっと前までは慎重な意見が多かったのだが、しだいに賛成が多数派になり、とうとう小学校の正式科目になった。

だが、英語教育の専門家の間では、早く始めた方が英語ができるようになるというのは幻想にすぎず、母語を習得できてからの方が効果的に習得できると言われている。認知心理学の観点からみても、母語体系が習得できていることで、それをもとに外国語がうまく習得できると考えられている。

バイリンガル教育が専門のカナダのカミンズも、母語の能力が外国語学習を支えると言う。

母語の学習をおろそかにして英会話に時間や労力を割くことで、「ウチの子は英語でアメリカ人と会話ができる」などと喜んでいると、うっかりするとセミリンガルになってしまう恐れがある。セミリンガルとは、この場合で言えば、日本語力も英語力も両方とも中途半端で、思考の道具としての言語を失った状態を指す。

それは、かつては母語形成期に親の転勤に伴い海外に移住し、どちらの言語も中途半端なままに帰国する子どもの問題であったが、今では幼児期からの英語熱のせいで、ふつうに日本で生まれ育っていても起こりかねない問題となっている。実際、日本語の日常会話はできても日本語の読解力が乏しく、日本語で書かれた教科書を読んでも理解できない中学生が5割もいることがわかってきたのである。英会話熱を少し冷まして、日本語力をつけることを考えるべきだろう。

言語には、コミュニケーションの道具としての機能だけでなく、思考の道具としての機能もある。会話はできても思考力がない。そのため学校の授業についていけないばかりか、自分の内面の繊細な思いや抽象的な考えをうまく表現できない。そんなことになったら、取り返しがつかないのだが、それに気づいていない人があまりに多い。

なぜ、世の親たちが競うようにしてわが子に英会話を習わそうとするのかと言えば、英会話ができることが知的でカッコイイと思っているからではないか。そこに大きな勘違いがある。

たしかに、かつては「英語のできる子」は「勉強のできる子」であった。そんな親自身の過去経験が勘違いをさせるのだろう。

英語の授業が英会話中心になったというと、何か良いことのような気がする人が多いようだが、それによって英語の授業は、頭を鍛える勉強ではなくなり、おしゃべりの仕方を身につけるものに変わったのである。

英文を読んで日本語に訳す授業は、知識や思考力を総動員して知力を鍛えることになるが、英会話の授業はべつに知的トレーニングにはならない。

たとえば、リスニングの訓練で、読解力や推論力が高まり、教養が身につくだろうか。

小中高を通した英語教育で日常英会話ができるような訓練をするとしたら、そこで行われるのは英語を母語とする国の家庭で生まれた子が、幼児期までにできるようになることを身につけることにすぎない。

かつての英語の授業では、英文学を読んだり、文化評論を読んだりして、その理解や訳出の過程で英語や日本語の知識を総動員し、国語で鍛えた読解力を必死に使うことで、言語能力が鍛えられた。

私たちは言語で思考するわけであるから、言語能力が鍛えられれば、思考力も高まる。そして、文学や評論の内容を理解することで教養も豊かになっていく。まさに頭を鍛え、知力を高めるための勉強になっていた。

だからこそ、以前は英語のできる子は勉強のできる子だったわけである。

日本語がペラペラだけど中身が薄っぺらそうな外国人と、片言の日本語しかしゃべれないけれども教養豊かで頭の回転が速い外国人と、どちらを仕事で雇いたいと思うだろうか。あるいは、方言を標準語に矯正するためのリスニングばかりしている子どもや若者と、方言による訛りはあっても幅広い読書をしている子どもや若者とでは、将来、どちらが仕事のできる人物になる可能性が高いだろうか。

そう考えてみれば、英会話熱に浮かれてないで、日本生まれ、日本育ちゆえに自然に手に入れた日本語という武器を駆使して、知識・教養を身につけ、思考力を磨いておくことが、何よりも大切だとわかるはずである。

将来、外国人と知り合ったときに仲良くしゃべれるようにさせたい、英語の発音を聞き分けられるようにさせたい、きれいな発音ができるようにさせたいといった声をよく耳にする。でも、そうした親心で英会話の習得に力を入れているうちに、日本語力が鍛えられないままになってしまい、成長するにつれて難しい本は読めない、授業についていけない、といったことになりかねない。当然、就ける職業も限られてくる。

現に、すでにそういう大学生が大量に生み出されている。ＳＮＳのやりとりはできるし、ブログやネット記事は読めるけど、文学・評論とか専門書は難しくて読めない、授業も友だちとしゃべる言葉と違うから理解できない。そんな大学生が珍しくない。

外国人観光客がどんどん増えているので、英会話教育を充実させる必要があるといった声をよく耳にする。そういう人材が早急に必要だという政府や産業界の事情はわかるが、子育てをしている人は、そんな声に乗せられないように注意が必要である。

さらに、ここで考えておかなければならないのは、近い将来、自動翻訳機の発達によって、だれもが自国語でしゃべっても外国人と会話できるようになり、英会話の学習はまったく必要がなくなるということだ。

そうなったとき、英会話ばかりが得意な子には、何も「売り」がなくなってしまう。子どもの頃から英会話に時間と労力を費やしてきた人物と、幅広い読書で教養を身につけ視野を広げてきた人物と、どちらが魅力的で語り合いたい人物か、どちらが有能で雇いたい人物か……、それは言うまでもないだろう。

英会話というと、多くの日本人は、英語コンプレックス、アメリカ（欧米）コンプレックスを刺激されて、つい冷静さを失ってしまう。ここが最後の稼ぎどきと勢いづいている英会話スクール業界の宣伝文句に惑わされずに、わが子の将来を冷静に考えるべきだろう。

第3章　その根底に流れる教育のあり方

ますます深刻化する読解力の危機

第1章で、中高生や大学生の読解力が著しく低下していることを指摘し、それをあらわす事例や調査データを示した。

そこでは示さなかったが、読解力の危機を実感してもらうために、前著『教育現場は困ってる』（平凡社新書）のなかで紹介した読解力テストのデータを2つ、ここで再び紹介しておきたい。

ひとつは、学力の国際比較をする際によく引き合いに出される、OECD（経済協力開発機構）が2000年から3年ごとに各国の15歳（日本では高校1年生）を対象に実施している学習到達度調査「PISA」において、2018年に出題された読解力問題の一部である。

本文は省略するが、書評の体裁をとる本文のなかから、以下の5つの文がそのまま抜き出されており、それぞれの文が、「事実」であるか「意見」であるかを問う問題となっている。

①本書には、自らの選択とそれが環境に与えた影響によって崩壊したいくつかの文明について書かれている。
②中でも最も気がかりな例が、ラパヌイ族である。
③彼らは有名なモアイ像を彫り、身近にあった天然資源を使ってその巨大なモアイ像を島のあちこちに運んでいた。
④1722年にヨーロッパ人が初めてラパヌイ島に上陸した時、モアイ像は残っていたが、森は消滅していた。
⑤本書は内容がよくまとまっており、環境問題を心配する方にはぜひ読んでいただきたい一冊である。

答えは、①③④が「事実」、②⑤が「意見」である。①③④には事実が記述されており、②⑤には意見が記述されているのは、自明のことと思われる。

これがすべてできて正解とするが、日本の高校1年生の正答率は44・5パーセントであり、なんと半数以上が正答できなかったのである。

本文からそのまま抜き出された文なので、内容が正しいかどうかをじっくり検討する必要はない。ただ、その文が「事実」を記したものなのか、それとも「意見」を記したものなのかを判断すればよいだけである。それにもかかわらず、高校1年生の半数以上が読解できないのである。

もうひとつは、人工知能プロジェクト「ロボットは東大に入れるか」を進めてきた国立情報学研究所の新井紀子による学力調査で出題されたものである。人工知能は膨大なデータを覚えて傾向を捉えるのは得意だが、意味は理解できない。それなのに、8割の高校生が、文章の意味を理解できないAI「東ロボくん」の成績に及ばないのはなぜか。それを突き止めるために実施した学力調査の一部である。

その学力調査の結果、中学生の約2割は教科書の文章の主語と目的語が何かという基礎的読解ができておらず、約5割は教科書の内容を読み取れていないということが判明したという（「朝日新聞」2016年11月9日）。

文章の意味を理解できないのは人工知能だけではなかったのだ。

新井たちが中高生に実施した「基礎的読解力」調査の問題のひとつとその正答率をみてみたい（新井紀子『AI vs. 教科書が読めない子どもたち』東洋経済新報社より）。

【問題】

幕府は、1639年、ポルトガル人を追放し、大名には沿岸の警備を命じた。

右記の文が表す内容と以下の文が表す内容は同じか。「同じである」「異なる」のうちから答えなさい。

1639年、ポルトガル人は追放され、幕府は大名から沿岸の警備を命じられた。

正解は「異なる」である。これも容易にわかると思われる問題だが、正答率は中学生で57パーセント、高校生で71パーセントだった。中学生の4割以上、高校生の3割近くが読み取れなかったのである。能動態が受動態になるだけで、文章の意味を読み取れなくなってしまう中学生が4割、高校生が3割もいたのである。

これは、まさに読解力の危機と言わざるを得ない。この程度の読解ができないとなると、教科書に書いてあることの意味がわからず、教師の解説を聴いても理解できないのはもちろんのこと、新聞やネット上のニュースを読んでもきちんと理解しておらず、テレビのニュースをみてもきちんと理解していないと考えられる。

それでは勉強ができるようにならないだけでなく、世の中の出来事についても建設的な考えをもつことは期待できない。

こうした読解力の低下には、読書をしない子が増えているということが深く関係していると思われるし、読書が読解力を高めることは多くの調査研究によって実証されているが（詳しくは筆者の『読書をする子は○○がすごい』〈日経プレミアシリーズ〉参照）、それだけでなく、「見ればわかる教材」によって読解力の鍛錬がなされなくなっていることも関係していると思われる。

「見ればわかる教材」の功罪

視聴覚に訴える教材がわかりやすいのは言うまでもない。映像には、有無を言わさぬ説得力があり、非常にわかりやすい。

理科の実験でも、「平面上において球体Aに向けて球体Bを何度の角度でぶつかるように転がす」というように言葉で説明されるより、その映像を見せられる方が、はるかに理解しやすく、その通りにやる際に間違えにくいだろう。

社会の授業でも、「川の流れが土砂を運び、それが堆積することで扇状地ができていく」というように言葉で説明されるより、それを映像で見せてもらった方が、はるかにイメージしやすいのは言うまでもない。

もっと卑近な例を出すと、自分の部屋のなかがいかに散らかっているかを、言葉で説明しようとすると、何をどう説明すればわかってもらえるか、ということに頭を悩ますはずだ。相手がイメージしやすいように言葉で説明するのは、非常に難しい。だが、写真を見せれば一目瞭然、その散らかり具合をわかってもらえる。

このように写真や映像を駆使した「見ればわかる教材」というのは、とてもわかりやすいのだが、その代わりに頭を使うのが疎かになっていることは、意外に見逃されているのではないだろうか。

「見ればわかる」ということは、「じっくり考えなくてもわかる」ことを意味しており、言葉を手がかりに想像力を駆使して頭のなかにイメージを立ち上げるという思考プロセスが省略されているのである。これでは想像力も論理的思考力も鍛えられず、むしろ使わないことによって衰えてしまう危惧がある。

読解力の乏しさが深刻化しているのは、授業をしていてもひしひしと感じる。やる気のない学生はいつの時代にもいるものだが、まじめに授業に集中している学生までが、

「何が大事かわからないので、大事なことは字を大きくしたり、色を変えたりしてくださ い」

「影響関係がわからなくなっちゃうから、矢印で結んでもらえますか」

などと言ってくる。

私は、じっくり考えるプロセスを省略するのは教育的でないと考えるため、パワーポイントなど視覚に訴える手段は一切使わず、言葉のみで授業をしている（コロナ禍の遠隔授業ではやむなく使っているが）。だが、そのような要求をする学生によれば、パワーポイントを使う多くの授業では、大事なことは字が大きく、色も変えてあるから、何が大事かすぐにわかる、影響関係も矢印で結んであるからよくわかるというのだ。

こうした訴えからわかるのは、話を聴きながら何が重要かを自分の頭で考えることができず、解説を聴いても影響関係をつかむことができないということである。懇切ていねいに図解する授業に慣れすぎており、自分の頭を使ってじっくり考えるという知的作業が省略されているのだ。

図解するのが悪いと言うのではない。教育心理学では、学習者の認知構造と新たな学習内容の橋渡しをするものとして、図式オーガナイザーも有効とみなされている。図式オーガナイザーというのは、これから学習する内容の概略を図解して示すものである。それによって学習者の理解を促進することができる。

ゆえに、文章で読んだだけではわかりにくい内容の理解を促すべく、図解するという手法は、参考書などでよく用いられるようになっている。聴いただけでは理解しにくい内容を口頭で説明する際にも、図解によってわかりやすくするというのも、授業だけでなくビジネス交渉の場でもよく行われている。

ただし、いわゆる図解を駆使するのは、読解力の乏しい学習者にとっては非常に効果的な方法ではあるが、ふつうの読解力をもつ学習者があまりに図解に頼りすぎると、授業が読解力の鍛錬の場にならず、その発達に支障が出る可能性もある。

中高の生徒や大学生の読解力の低下が指摘されているが、図解すればわかりやすいということで図解を多用しすぎると、教科書の文章や教師による口頭の説明だけでは十分理解できないといった傾向を助長する面もあることが懸念される。

もちろん、今でも本を読み、読解力もあり、授業内容をしっかりと理解し、自分の頭で考えている学生もかなりいる。そのような学生は、板書や口頭の解説のメモをもとにノートに図解して、

「こういう理解でよかったでしょうか」と確認に来たりする。図解によってようやく理解できるというのではなく、言葉のみの説明から自分で図解できるほどの読解力を身につけているのである。

こうしてみると、「見ればわかる教材」の使い方についても、教える側は十分に考慮する必要があるだろう。

ノートを取る習慣のない学生たち

かつて、筆記用具をもたずに教室で授業を受けていた学生は、よほどやる気のない劣等生に限られていた。授業を聴きながらノートを取るというのは、当たり前のことだった。板書事項をノートに写すくらいしかしない学生もいれば、教員が話したことを熱心にノートに書き留める学生もいたが、筆記用具をもたずに授業に出るというようなことはふつうはなかった。

しかし今では、筆記用具をもたずに授業に出る学生はけっして珍しくない。大学によっては、筆記用具をもたずに授業に出る学生の方が多数派だったりもする。

教室で筆記用具をもたない学生たちを見つけ、その理由を尋ねると、

「他の先生はみんなパワーポイントで授業するし、授業で映写するコマを印刷して配ってくれるから、ノートを取る必要がないんです」

「配付資料にパワポのコマが全部入ってるから、授業中は見てればいいんです」

というようなことを言っていた。そうしたやりとりを見ていた筆記用具をもっている学生のなかにも、

「先生の授業のためだけに筆記用具をもって来なくちゃいけないんですよ」

と不満げに言う者もいた。

教員たちが参加する学会でも、研究発表の際に配付資料が配られ、そこに映写するパワーポイントのコマがすべて入っているのはよくあることだが、ただ見ていればいいというわけでなく、発表者の説明を聴きながら、コマのなかや欄外に注釈を加えたり、疑問点を記したり、思いつくことを書き込んだりするものである。

筆記用具をもたずに授業に臨む学生たちの場合、パワーポイントのコマを見ていればよいといった授業に慣れてしまい、ノートを取る習慣が失われてしまった、あるいははじめからノートを取る習慣が身についていなかったために、受け身に聴いているだけになっているのだろう。

だが、ノートを取る、あるいはちょっとしたメモを取る習慣を身につけることは、ものごとを深く理解するにも、自分なりの考えを深めるにも、とても大事なことである。

話された内容をノートに取るためには、集中して聴いていなければならない。ノートを取ろうと思うだけで集中力が高まり、その結果として理解が進む。

また、重要だと思うところに線を引いたり、思いついたことをメモしたり、よくわからない箇所に印をつけたりすることで、理解が深まると同時に自分の理解度もチェックできる。よくわからない箇所について、あとで質問したり調べたりすることで、さらに理解が深まる。

発想を練る際にも、思いつくことを、メモしながらあれこれ考えることで、発想が膨らんだり、考える道筋が可視化されることで考えがまとまったりする。

ノートを取ることには、このように多くの効用があるのに、ノートを取る習慣のない学生たちは、そうした効用を享受できず、ただ受け身に聴いているだけになってしまいがちである。

その場でノートを取ることに多くの効用があるだけでなく、事後に見直す際にノートをまとめ直すことにも効用があることが、科学的に実証されている。心理学者の犬塚美輪は、大学生を対象に、事後のまとめノートの量や質と成績との関係を検討する調査研究を行っている。

その結果について、細かな話をもち出すとかえってわかりにくいので、大まかにまとめると、事後ノートの記述量が多いほど成績が良いことがわかった。また、内容を図解するなど、図の使用頻度が高いほど成績が良かった。さらに、体制化が行われているほど、つまりただ単語を羅列するだけでなく、関連する情報をまとめたり、内容を体系化して整理したりしているほど、成績が良いことがわかった。

このように、ノートをまとめ直すことの効果は科学的に実証されており、授業ノートを復習時や試験の準備をするときにまとめ直すことで内容の理解が深まり、それが成績の向上につながると言える。

ノートをまとめ直す際には、内容をただ羅列するのではなく、図解したりして要点を関連づけながらまとめるのがコツで、概念や概念間の関係を整理することで理解が深まっていく。つまり、まとめ直したノートが後で役に立つというだけでなく、ノートをまとめ直すことによって理解が促進されるわけである。

このようなノートを取ること、ノートを使いこなすことの効用を考えると、パワーポイントのコマを印刷して配布し、聴いていればよいといった授業を行うのは、一見親切なようでありながら、じつは教育的な配慮を欠いていると言わざるを得ない。

実用性重視が思考停止をもたらす

学校で勉強したことが社会に出てからほとんど役に立たないというのは、私が生徒だった頃からよく耳にしたものである。

「こんな勉強ばかりしてても、結局、社会に出たらまったく使わない知識なんだよな」

「会社員が微分・積分を使ってるとか、アボガドロ定数を使って計算してるとか、まず考えられないしな」

などと、学校の勉強、そして受験勉強の虚しさを口にしたものだった。

そうした風潮に呼応するかのように、学校教育において実用性を重視する方向へとシフトする動きが出てきた。だが、それは主として企業側の即戦力需要など産業界の要請によるものであって、知的レベルを高めたり考える力を鍛えたりするのとは真逆の方向に向かっていくものと言わざるを得ない。

学校教育において、いくら知識を詰め込んでも、それが現実生活に活かせるものでないと意味がないということで、知識偏重の教育からの脱却が唱えられ、さまざまな教育改革が行われてきた。

たとえば、英語の授業を中学から大学まで10年間受けても、結局、ほとんどの日本人は英語をしゃべれないではないかということで、英語の授業の会話重視への大転換が行われた。１９９３年以降、英語教育を読解・文法中心から会話中心に転換してきたのだ。それによって生徒・学生たちにどのような変化が生じただろうか。

すでに前章で紹介したように、公立高校の入試問題について、20万人のデータを対象として、英語の学力の経年変化を検討した斉田智里の研究により、１９９５年から２００８年の14年間、毎年一貫して英語の学力が低下していることが明らかになったのである。学力低下の程度は、偏差値にすると7・4だという。たとえば、２００８年の偏差値50は、１９９５年の偏差値42・6に相当することになる。

その結果、生徒・学生の英語力の低下が著しく、大学のゼミでも英語の文献を読めない学生が多くなり、ゼミは専門の勉強をするというより英文解釈の授業のようになってしまった。ついに英語の文献を読むのは諦め、日本語の文献しか使わなくなったという声も聞く。

実用性を重視して英会話中心の授業にすることで英語力が低下するというのは、考えてみれば当然のことである。

かつてのような英文の読解が中心の授業であれば、英語で書かれた小説や評論を読み、それを日本語に訳すことで、言語能力や想像力が鍛えられるだけでなく、教養溢れる文章に触れることで深い教養が身につき、視野も広がり、知的刺激を十分に受けることができた。

ところが、英語の授業が会話中心の実用的な内容となり、海外からの旅行者に道案内したり、外国人とあいさつなどちょっとした日常会話を交わしたりする訓練となり、英文解釈のような知的格闘もなく、読解力の向上も深い教養の獲得も期待できなくなった。

英語圏では幼い子どもがしゃべっている程度の会話の訓練、つまり知的発達とは無縁の訓練を、日本では中学や高校ばかりでなく大学の授業時間内に行うようになったのである。これでは知的能力を高めることにならないのは明らかである。

簡単な英会話ができさえすれば、海外からの観光客の相手をさせることができて便利だから、英会話ができる人材を採用したいという声があるのは事実かもしれない。だからといって、英会話ができる人材を育てることを学校教育が担うというのはどうなのか。

学校の勉強として会話を教えるというのは大いに問題がある。そもそも学校の授業というのは、単に実用的スキルを伝授するためのものではなく、頭の鍛錬、知的発達の促進のためのものなのである。そこをつい見逃してしまうのは、日本人の欧米コンプレックス、そして英語コンプレックスによるところも大きいのではないか。

かつて英語学者の渡部昇一は、英会話重視にシフトしようとする文科省の方針に反対する議論のなかで、英語の能力は国語や理科、社会といった他の学科の能力との関連性がきわめて高いとし、それは英語教育が訳読中心だからだという。そして、受験英語こそが日本人の知力を鍛える一番有効な方法だと主張している。

そうした声も虚しく、学校の授業は英会話にシフトされ、今では一部の受験校の中高を除いて中高大すべてが英会話中心の授業になっているため、英会話はできても勉強はできないという生徒・学生が多いはずである。

さらに、小学校でも英会話を教えるようになり、受験でもリスニングなど会話要素を強化する方向に動いているため、ますます英会話はできても勉強はできない、知的能力は鍛えられていないし教養もないという生徒や学生が増えてくるに違いない。

従来の英語の授業は、英文を日本語に翻訳するのが中心であり、それは国語力と英語力を駆使した知的格闘技のようなものであり、知的刺激に溢れるものだった。さらには、小説や評論を読むことで豊かな教養を身につけることもできた。

それが英会話中心の授業に変わることで、英語の授業から知的要素は排除されてしまった。このようなレベルが、日本の小中高大を通した英語教育の目標であってよいのだろうか。それが知的能力を磨く学習だと言えるだろうか。

ここでは英語教育を例にあげたが、実用性重視の学校教育が思考能力の発達を阻害し、思考停止を招くことがわかるであろう。

理解よりスキルを重視することの弊害

実用性重視の流れのなかでとくに目立つのが、「理屈はいらない、どうすればよいかを教えればよい」とでもいうような教育の仕方である。「どうしてそうするのがよいのか」といった理論的背景は棚上げして、「こうすればうまくいく」という実践的スキルを叩きこむのである。

これは、言ってみれば、「頭はいらない、指示通りに動いてくれればそれでいい」という感じで、言いなりに動く、使いやすい人材を量産する教育であり、生徒・学生を思考停止のロボットに仕立てるものと言える。即戦力を求める側に非常に都合のよい教育ではあるが、教育を受ける側を大事に育てるといった側面が疎かにされている。

ものを考える人間を育てるには、「こうすればうまくいく」と言われ、何も考えずにその通りに動くのではなく、「なぜそうするとうまくいくのか」について考え、自分なりに「なるほど、そういうことか」と納得するように導く必要がある。

頭でしっかり理解し、心から納得することで、スキルも表面的なものでなくなり、深みを増していく。

実用性を重視し、理解より表面的なスキルを身につけさせようとする傾向は、これまでにみてきたような読解力の低下に代表される学力低下によってもたらされてきた側面もある。

第1章で、ほんの少しだけ触れたが、実用文さえ読解できない若者が多いことから、小説や評論のような高度な文学作品でなく、駐車場の契約書や行政の広報文などの実用文を高校の国語で学ばせる方針が示され、物議をかもした。

しかし、文科省の方針が揺らぐことはなく、２０２２年度から国語の現代文の2、3年生向けの教科書が「論理国語」と「文学国語」に分けられ、どちらかを選択することとなり、混乱を極めた。

「論理国語」では、論理的文章について学ぶことで論理力を身につけ、「文学国語」では登場人物の心情を想像するなどして共感や想像力を身につけるということらしい。私立の難関大学受験校などでは、入試に論理的文章も文学も出題されることを想定し、減単（本来4単位行うべきところを2〜3単位に減らす）して両科目を履修できるように工夫を試みているようである。

国語の授業というのは、小説や詩、評論や随筆などをじっくり読解する勉強をするものといったイメージをだれもがもっているはずだが、「論理国語」を学ぶ生徒は評論の読解はしても小説を読解することはない。

実際には、教科書会社も必死の抵抗を示し、「論理国語」に評論や実用文だけでなく小説を入れた教科書も、「文学国語」に小説や詩歌だけでなく評論を入れた教科書も出てきたようである。

それにしても、国語を「論理国語」と「文学国語」に分けようとすること自体、論理的整合性に乏しく、きわめて乱暴な発想と言わざるを得ない。

当然、論理的文章でつづられる評論は、「論理国語」の中核をなすと思われるが、広義には文学ともいえることから「文学国語」にも入り得るだろう。一方、登場人物の気持ちなど情緒面が重要な要素となる小説は、当然のことながら「文学国語」の中核をなすであろうが、小説にも論理構造はしっかりとあり、小説を味わう際に論理的流れをたどることは欠かせず、「論理国語」にも入り得るはずだ。

だが、教育現場に身を置く教員たちと話すと、

「うちのようなレベルの生徒に、格調高い評論や小説を学ばせるのは、現実的に言って意味がない。いくら読んでも読解なんてできるレベルじゃないんですよ」

「うちには、学校からの事務的な手紙のような実用文さえまともに読解できない生徒も少なくないんですよ。だから就職してからも苦労する。そんな生徒には、履歴書の書き方とか契約書の読み方みたいな実用文について学ぶ方が、実際に意味があるんだと思います」

などといった意見は、けっして少数派ではないようなのだ。

大学でも、就職活動のためのエントリーシートをまともに書けない学生が少なくない。そのため、就職課やキャリアセンターの職員やゼミの教員が、学生が書いたエントリーシートを添削したり、ときに代筆したりしている。また、レポート提出に関するものなど事

務的な通知文書の意味を正確に読み取れず、見当違いな行動を取り、トラブルになったりする。

その意味では、実用文について学ぶことは必要かもしれないが、それを国語の授業で行うべきなのだろうか。前項では英会話教育を取り上げたが、知的な鍛錬をつぎつぎに排して、実用性ばかりを追求することで、ますます思考停止に陥っていくのではないか。

頭を使うことに慣れている児童・生徒は、授業中も「ちゃんと理解できているかな?」と自分の理解度を振り返って確認しながら教員の解説を聴き、家で復習する際にも教科書やノートを読みながら、「ここはどういう意味だっけ?」「これはこういうことだったな」と自問自答しており、理解が不十分だと感じれば参考書を読みながらじっくり考え、何とか理解を深めようとする。

それに対して、頭を使う習慣のない児童・生徒は、授業中も自分の理解度を振り返ったりせずにただ聴いており、家で復習をするにも自分の理解度をめぐり自問自答などせずにただ読むだけとなりがちである。

宿題に出た問題が解けずに、友だちに教わる場合も、頭を使うことに慣れている児童・生徒は、解き方をちゃんと理解できないとスッキリしないため、解き方を教えてもらっただけでは満足せず、なぜそうなのかをしつこく考える。

それに対して、頭を使う習慣のない児童・生徒は、答えを写させてもらえばそれでいいといった感じで、なぜそうすると解けるのかなど気にならない。

本来、教育というのは、頭を使う習慣の乏しい児童・生徒に頭を使うように促すものであるはずである。それなのに、頭を使う習慣がないからといって、理由など考えずに表面的スキルを身につければよいといった教育などしていたら、児童・生徒はいくら教育を受けても思考停止から脱することはできないだろう。

もちろん、もともと頭を使う習慣が身についている児童・生徒には、より深くものごとを考えることができるように、考える枠組みや素材を豊富に吸収するように導くことが大切である。

読書離れによる読解力の欠如

読解力をはじめとする学力の低下が思考停止を助長していることを指摘してきたが、読書をすることで読解力や思考力が高まることは、多くの調査研究により実証されている。

各種調査データをみても、読書と知的発達の間には正の相関関係がみられる。つまり、読書をよくする子どもの方が、学力が高い、読解力が高い、思考力が高い、学習意欲が高い、などといったデータがみられる。

国立青少年教育振興機構は、「子どもの読書活動の実態とその影響・効果に関する調査研究」を2012年に実施しているが、その結果をみると、中高生については、子どもの頃に本や絵本を読んだ経験が豊かな者ほど、読書が好きであり、1カ月に読む本の冊数が多く、また1日の読書時間が長くなっている。そして、子どもの頃の読書活動が多いほど、社会性が高く、意欲・関心が高く、論理的思考能力が高い、などといった傾向を示すデータが得られている。

そのような傾向は、就学前から小学校低学年の頃に、絵本をよく読んだ者ほど顕著であり、まだ自分自身では本を読めないそうした年頃に、家族から本や絵本の読み聞かせをしてもらったり昔話を聞かせてもらったりしたことの多い者ほど、顕著であることが示された。

この調査は、成人を対象としても実施されており、その結果をみると、子どもの頃に本や絵本をよく読んだ大人ほど、読書が好きであり、1カ月に読む本の冊数が多く、1日の読書時間が長くなっており、読書をすることが習慣化している大人は、子どもの頃から本や絵本に親しんでいたことがわかる。そして、子どもの頃に本や絵本をよく読んだ大人ほど、社会性や意欲・関心などが高く、教養があるといった傾向も示されている。

このように、子ども時代の読書が知的発達を促す効果は、中学生や高校生といった学校時代のみならず成人後にまで及んでいることが確認された。

また、心理学者の猪原敬介たちが小学校１年生から６年生までの児童を対象に実施した調査では、読書時間や読書冊数、学校の図書室からの図書貸出数などから測る読書量が多いほど、語彙力も読解力も高いことが示されている。

言語学者の澤崎宏一は、大学生を対象に読書習慣と読解力についての調査を行っているが、子どもの頃から現在までの総読書量が文章理解力と関係していることがわかった。そして、小説などの文庫本の読書量が、新聞・雑誌やマンガの読書量よりも、文章理解力と強く関係していた。

さらに澤崎は、文章ではなく単文、つまりたったひとつの文の読解力にも読書経験が関係していることを、同じく大学生を対象とした調査によって確認している。その調査では、読書経験が豊かな者ほど、ひとつの文が自然か不自然か、つまりおかしな文かどうかを正しく判断できることが明らかになっている。

読書習慣が知的発達を促進することは、これまでにみてきたように心理学の世界ではすでに常識と言えるが、このことは最新の脳科学の研究によっても裏づけられている。

脳科学的な手法で、子どもたちの知的発達の研究を進めている川島隆太と横田晋務たちは、5歳から18歳の子どもや若者を対象に、「あなたは、漫画や絵本を除く読書の習慣はついているほうだと思いますか」と尋ね、その回答を数値化し、同時にMRIで脳の状態を測定しておき、それから3年後の脳の形態の変化を調べるという大がかりな研究を行っている。

その結果、読書習慣がどの程度身についているかが、神経繊維の発達や言語性知能の向上と大きく関係していることが確認された。

読書習慣のある子は、言語能力に関係する神経をよく使うため、神経の連絡が密になり、言語能力に関係する領域の神経走行に変化が生じたと考えられる。それが言語性知能の向上につながっていた。

読書が知的発達を促進するということは、心理学や教育学の多くの研究データで示されていたが、脳画像によっても証明されたわけである。

川島たちによれば、このような変化は大人になっても生じるため、何歳になっても読書習慣によって脳の発達を促すことができることになる。

大学では、本を読む習慣のない学生が多くなり、講義やゼミでも教員は手を焼いている。私自身も、本を読むのが苦痛で読む気がしないという学生が多いため、関連書籍のなかからとくに関心があるものを読んでレポートをまとめるという、30年ほど続けてきた課題を数年前にやめることにした。本を読めないという学生が多く、関連書籍の要点やレビューをネット上で検索して切り貼りをするだけのレポートが増えてきて、これでは意味がないと思ったからである。

第１章でも紹介したように、全国大学生活協同組合連合会が、１９８４年から１９９０年にかけて実施した「大学生の読書生活」という調査によれば、不読率、つまりまったく本を読まない学生の比率は、１９８７年に13・1パーセント、１９９０年も13・４パーセントであり、１割をやや超える程度にすぎなかった。それが今では何と5割に達しているのである。

これとは別に、全国大学生活協同組合連合会が、毎年全国の国公私立30大学の学生を対象に実施している「学生生活実態調査」のデータによれば、本をまったく読まない学生の比率は、2004年から2012年までは30パーセント台半ばを推移していたが、2013年に40・5パーセントと4割を超えてから上昇し続けて、2017年には53・1パーセントとついに5割を超えた。

その後、50パーセント前後で推移しており、2021年は50・5パーセントとなっている。今どきの大学生の半数は、読書時間がゼロであり、まったく本を読んでいないのである。

しかも、この調査では「コミックス、趣味・情報雑誌・教科書・参考書」も読書にはいると考える学生が53・4パーセントもいることからすると、教科書・参考書や雑誌を除く本を読んでいる大学生の比率は、50パーセントよりもはるかに低いはずである。

もちろん大学生がみな本を読まないというのではない。授業中に紹介した関連書籍をつぎつぎに読んで質問に来たり、感想を言いに来たり、さらに読むべき本を教えてほしいと助言を求めに来る学生もいる。

ここにもよく言われる二極化がみられる。先ほどの研究結果を踏まえれば、子どもの頃からの読書習慣の有無によって、脳の機能が違ってきているのだろう。

関連書籍を読まないだけでなく、教科書さえ読む気になれないという学生は、平易な言葉でわかりやすく書いてある教科書さえ読んでも理解できない。それ以前に、教科書はつまらなそうで見ただけで読む気をなくすから買わないという学生も少なくない。教科書を読んでも理解できない者が教科書なしに授業に出席しても、何もわからないし何も身につかないといったことになってしまう。

これまでに本を読んだ経験がない、つまり本を読む習慣がないため、本を読むことに抵抗があると同時に、言語性知能の発達が阻害されているのだろう。そのような学生は、先の研究結果を踏まえれば、脳の神経繊維の発達が阻害されており、いきなり本を読むように言われても、なかなか読めないのも当然と言える。読解力がないため読んでも意味がわからない。だから読む気がしない。

子どもの頃からタブレットをいじったり、コンピュータ・ゲームをしたりして遊び、中高生時代にはＳＮＳやインターネットで時間をつぶす。そうしているうちに本を読めない脳になってしまった、ということではないだろうか。

これからは人工知能の時代になっていくとされ、人間の多くの仕事が人工知能に奪われると言われる。人工知能はデータの記憶はきわめて得意だが、文章の意味を読解するのが苦手であるということを考えると、人工知能に仕事を奪われないためには読解力を高めることが非常に大切となる。

その意味においても、タブレットを使ったICT教育にばかり注力せずに、読書を推進することは、教育の未来にとって非常に重要なことと言ってよいだろう。

知識・教養を軽視することの愚

これからは思考力を重視した教育にシフトしていく必要があるとされ、知識偏重教育からの脱却がしきりに唱えられているが、はたして今の子どもたちは知識偏重の教育を受けているだろうか。

教育現場や子どもたちの実情を知らない大人たちは、メディアを通して流される知識偏重教育批判に何となく同調しがちだが、今の日本の教育は知識偏重どころか知識軽視と言わざるを得ない。

周囲の若者たちをよく観察してみれば、あるいは日頃接する若者たちを思い起こせば、知識ばかりを詰め込んできた者はむしろ少数派だとわかるのではないだろうか。

今の大学生の半数は本をまったく読まないというデータを前項で紹介した。そのせいで、本を読んで、そのテーマに関して自分の考えを述べるようなレポートを書けなくなっていることを指摘した。本を読んでいないため、知識が乏しく、言葉の意味もよくわからないため、自分の意見を述べる以前に、本に書かれている内容を理解できないのである。

本を読まなくなった背景として、ゲームやSNSや音楽・映像をスマホで楽しむ文化の広まりということもあげられるが、知識はいらないといった姿勢の教育により、本も読まず、言葉を知らないままになっているということもあるのではないか。

思考力重視のため知識偏重から脱却すべきだと言うが、知識が乏しく、言葉もよく知らないでいて、思考を深めることができるだろうか。

私たちは、頭のなかで言葉を駆使して考えている。言葉が乏しいと、書かれた文章や話された内容をよく理解できないだけでなく、頭のなかの思考も深まらない。一方、言葉を豊かにもつことにより、読解力が高まるだけでなく、思考も深まっていく。

私は、知識偏重教育からの脱却が強調されるあまり、今の教育現場では思考力さえ鍛えられなくなっているのではないかと危惧している。知識不足によってきちんと考えることができなくなり、学びの乏しさが生じている。そんな気がしてならない。

中高生の読解力の危機については、すでに実際の問題と正答率を紹介しながら説明したが、知識不足も相当に深刻なところまできているのではないだろうか。

そもそも知識受容型の教育から脱却し、主体的に学ぶ教育で考える力を身につけると言ったりして、まるで知識が思考の邪魔をするかのような議論が横行しているが、はたしてそうだろうか。専門分野を極めた知識人や博学な教養人が述べる意見よりも、知識も教養も乏しい人が述べる意見の方が、よく考え抜かれたものだと言えるだろうか。そんなことはないはずだ。

脱・知識偏重型の大学入試改革の一環として、推薦入試・AO入試など学力試験によらない入試を増やすようにとの文科省の方針により、多くの大学が推薦入試やAO入試を大幅に取り入れるようになった。今では、大学入学者のほぼ半数が筆記試験なしで入学できてしまう。

その結果、大学に入ってきた学生たちに、中学・高校時代に学んだはずの内容を復習する授業をせざるを得ない大学が非常に多くなっている。やはり基本的な知識がないと、高度なことを考えるところまでいけないのだ。

前著『教育現場は困ってる』においても紹介したが、非常に大事な視点を提示していると思うので、元東京大学副学長で心理学者の南風原朝和が、迷走する大学入試改革に関連して知識の重要性について述べていることを再掲しておきたい。

私は、今回の一連の改革を進めようとしている方々の理念について、その中での言葉の使われ方、意味に違和感があります。例えば、「現状の大学入学者選抜は、知識の暗記・再生の評価に偏りがち」だから、改革すると言われます。ここで「知識」は「暗記」し「再生」されるものと単純に捉えられています。しかし、実際には知識は個人の中でダイナミックに更新・再構成されるもので、知識を使って思考するプロセスを経て、より深い理解を伴う知識が構成されていきます。つまり、知識と思考は双方向的な関係にあるはずです。

（『中央公論』２０２０年２月号）

「断片のように思われる知識でもそこにある共通した原理がわかる、あるいは相互に関連付けられる知識」は、「偏重」される価値のある大事なものです。「知識偏重からの脱却」を主張される方々には、「知識」というものの意味について、見直していただく必要があると思います。

（同誌）

思考力重視といって、知識を吸収することの意義を否定するかのような議論が横行しているが、ものごとを深く考えるにはそれなりの知識が必要であるのは前述の通りである。知識を軽視する教育を推奨するのは、愚民政策のためなのだろうか。そんな邪推をしたくもなるような状況に戸惑うばかりである。

ここは何とかして、豊かな知識・教養を身につけることの意義を再認識する方向に世論を導く必要があるのではないか。

検索力はあっても、思考力がない

知識軽視の風潮は、インターネットやスマホの普及と並行して進んできた感がある。知識など、頭に入っていなくてもネットで検索すれば足りるというわけである。

たしかに、どうでもいいような細かな知識をいちいち覚えておく必要がないという意味では、それは当たっているかもしれない。だが、今の風潮をみると、ちょっと行き過ぎのように思えてならない。

インターネットの世界が広がり、さらにスマホが普及したことで、いつでもどこでも簡単に情報検索ができるようになった。

そこで目立つのが、新しい情報機器を手に素早く検索する自分に陶酔し、何でも検索すればすぐにわかるとでも言いたげな人たちである。みんなで歓談している最中にも、始終スマホをいじり、今話している話題に関連する情報を引き出し、みんなに得意げに披露する。それで、いっそう盛り上がることもあり、便利と言えば便利ではあるが、補助記憶装置を使わないと関連する話題を出せないというのも、いかにも中身が空っぽみたいで淋しくはないか。

雑談の場のみならず、会議中やちょっとした打ち合わせ中にも、しょっちゅうスマホをいじり、その場の議論も上の空で情報検索ばかりしている人もいる。そして、何か見つけては得意げに披露するのだが、議論の流れから遅れがちな上に、本人が消化し熟考した上での発言ではないため、取ってつけたような情報提示にすぎず、深みを感じさせない。

ネット検索によって引き出される情報は、何かを考えるための素材にすぎない。参考になるこんなデータがある、こんな事例がある、こんな考え方がある、こんな成功事例がある、こんな失敗事例がある……。

そのようにインターネットは、いわば考えるための素材を提供しているのであって、けって検索＝思考ではない。

そこのところを理解せずに、検索に習熟することで、あたかも自分に思考力があるかのような勘違いをしているイタイ人物も珍しくない。

日頃から自分の頭でじっくり考える習慣のある人は、ネットで検索して得られた情報はあくまで考えるための素材にすぎないことを踏まえており、使えそうな素材があれば自分の思考の枠組みを補強するような形で配置していく。

それに対して、自分の頭でじっくり考える習慣のない人は、ネット検索で出てきた素材をそのまま示すだけといった感じになりがちであり、本人がいかにも得意げに示しても、自分の頭でじっくり考える人からは、

「情報が頭のなかを素通りしてるみたいだな。なんか薄っぺらいな」

「検索しただけじゃないか。考える習慣がないんだろうなあ」

と思われてしまう。

そのような人物は、自分で考えるということがなく、思索を深める時間をもつといった習慣がないため、検索結果を示すだけで、自分なりの骨太な論理の筋道というものがないので、いくら目新しい情報を検索して示しても、どうにも説得力がない。

たとえば、何らかの商品なり業界なりに関して今後の動向について話し合っている際に、検索して出てきた動向についての情報を紹介することはできても、

「どうしてそうなるんでしょうか？」

と質問されると、自分の頭で消化していないため、即座に答えることができない。自分なりの推論をすることができない。そこで、再び検索を始める。

相手からは、「また検索か。自分で考えることができないのか」と呆れられているにもかかわらず、必死に検索し、それらしい解説が見つかると、それをそのまま読み上げる。まったく説得力が感じられないため、相手は納得できず、呆れながら、

「その根拠はなんですか？」

などと重ねて質問する。そんなことを尋ねられても、自分が考えたわけではないので、根拠など思いつかない。そこでまた検索を始めるわけだが、ここまでくると、いくら検索してもそれらしき回答を見つけるのは難しい。

このようなやりとりは、今やけっして珍しいことではない。検索に頼り、出てきた情報をいくら並べ立てても、受け売りそのもので、自分の思考プロセスを通して濾過され熟成されたものではないため、言葉に迫力がない。当然ながら説得力もなく、薄っぺらい感じ

が拭えない。

検索ばかりで自分の頭で考えるということを怠っていると、そのようなことになってしまう。非常に便利な検索の手段を手に入れると、そうした落とし穴にはまる危険もあるので、ICT教育を行う際には十分な注意が必要である。

「発信重視の自己主張」教育が見落としていること

グローバル化に対応するために、もっと日本人も自己主張ができるようにならなければいけないと言われ、自己主張が推奨されたり、プレゼンテーションのスキルを鍛える授業が導入されたりしている。

でも、そうした動きは、悪くすると思考停止を招くことにつながりかねない。このようなことを言っても、にわかには理解できないという人も少なくないかもしれない。

そこで、まずは私たち日本人が、自己主張が苦手なのはなぜかということを考えてみたい。海外の人たちの強烈な自己主張に圧倒された経験がある人は少なくないはずだ。

店員のアルバイトをしている学生たちも、客の要求にこたえられない場合、相手が日本人だとすぐに納得してもらえるけど、外国人だとしつこく自己主張してくるので手を焼くと言ったりする。

語学の短期留学をした学生たちも、いろんな国の学生が交じっていたが、どの国の学生も積極的に質問したり、自分の意見を自信たっぷりに述べたりするのに驚いたという。さらには、自分の解答が間違っていてもなかなか認めずムキになって食い下がるのにも驚き呆れることがあったという学生も少なくない。

そんな自己主張の強烈な海外勢とやり合っていかねばならないのだから、大変な時代になったと思っている人が多いと思う。でも、なぜ海外の人たちは、そんなに自信たっぷりに意見を言ったり、遠慮なしに質問したりできるのだろうか。反対に、なぜ私たち日本人は、堂々と意見を述べることができず、質問するにも躊躇してしまうのだろうか。

日本人が堂々と自分の意見を述べることができないのは、相手の気持ちを気にして自己中心的に振る舞えないということに加えて、日本文化においては認知的複雑性の高さに価値が置かれてきたからではないか。そのように私は考える。

認知的複雑性というのは、ものごとをさまざまな視点から見ることができるかどうかということである。

日本人が意見を主張するのが苦手だといっても、けっして自分の意見がないわけではないことが多い。人の意見と自分の考えが違う場合も、人の意見を聞いていると、その人の立場もわかるし、そう言いたくなる気持ちもわかるし、そういう視点から見ればそういう理屈も成り立つように感じられるため、反論しにくくなるのである。

自分の意見を述べる際も、それが絶対的なものとは思えず、別の視点から見れば違う理屈もあるだろうなと思うため、自信たっぷりに述べることができないのだ。

認知的複雑性が高いと、さまざまな視点からものごとを見ることができ、とりあえず自分なりの意見があったとしても、もっと違う見方もあるかもしれないと思うから、自信満々な自己主張がしにくいのである。その結果、さまざまな視点に想像力を働かせ、思考が深まっていく。

ただし、間柄を大切にし、人の気持ちや立場や意見を尊重する日本の文化は、認知的複雑性を高めると同時に、属人思考（174ページ参照）によってせっかく身につけている認知的複雑性を封印し、思考停止に陥らせることもある。それについては第4章で取り上げることにしたい。

一方、欧米をはじめ多くの国々の人たちが、どんなに偏った意見でも、思慮の浅い意見でも、自信たっぷりに主張できるのは、自分を押し出し自信ありげに振る舞っていないと生き残れない文化で育ってきているため、認知的複雑性が低く、自分の視点に凝り固まってしまっているからではないか。自分以外のさまざまな視点から検討する心の習慣がないため、自信満々な自己主張が平気でできてしまう。

そうした視点から自信たっぷりに自分勝手な意見をまくしたてる人を見ると、まさに薄っぺらいのに自信満々な姿に見えてくる。そんな姿に劣等感を抱く必要などないし、その真似をしようとして視野を狭め、偏った意見に凝り固まる必要もないはずだ。それこそ思考停止に陥ってしまう。

もちろん自分なりの考えを練り上げることは大切だ。だが、そのためにも自分の未熟な視点に凝り固まらず、あらゆる視点に心を開いておくことが大切であろう。そこで、学校教育においては、プレゼンテーションのスキルのような表面的な技を学ぶのではなく、もっと思考を深めるため、さまざまな視点に触れ、これまでの自分になかった視点を取り込むことが重要な課題となってくる。

その意味においては、発信力を重視するのではなく、むしろ吸収力を重視する教育が求められるのではないだろうか。そこが逆になると、薄っぺらいのに自信満々な深みのない残念な人間、まさに思考停止状態の人間を量産していってしまうことが危惧される。

他者の視点への想像力の欠如

自己主張やプレゼンテーションなど、発信ばかりを重視する教育のなかで衰弱しつつあるのが、他者の視点に対する想像力である。

ネット上で他人を叩く言動が目立つが、どうも他人に対する寛容さを持ち合わせない人が増えているように思われる。何かにつけて自分の視点を絶対化し、自分と違う考え方や行動パターンを取る人に対して、

「あり得ない!」

「許せない!」

と糾弾する。

でも、そのように正義感を振りかざして他人を糾弾する人の言動を見ていると、あまりに一方的で、相手の視点に対する想像力が乏しすぎると思わざるを得ない。自分の視点に凝り固まっており、自分と違う視点もあるということがわからないのだろう。

自分の視点を絶対化せず、相手の視点に想像力を働かせることができれば、それなりの

事情があってのことと理解することができ、一方的に糾弾するようなことにはならないだろうが、どうも他者の視点を想像する力が衰えてきているようだ。

だが本来、私たち日本人は共感能力が高く、他者の視点に対して想像力を働かせるのが得意だったはずである。欧米かぶれの論者により、しばしば個として自立していないと批判される私たち日本人の自己は、他者から切り離されている欧米人の自己と異なり、他者と密接につながっている。

私たち日本人は、関係性としての自己を生きているのであって、欧米人のように個としての自己を生きているのではない。「個」の世界を生きているのではなく、「間柄」の世界を生きているのである。だからこそ、他者の視点を想像するのも容易なのだ。

「Ｉ」が「ｙｏｕ」に対して独立的に、つまり一方的に自分を出すというのが、「個」の世界のあり方の基本と言える。自分の思うことを伝える際に、とりあえず相手は関係ない。ただこちらが言いたいことを言う。

それに対して、「間柄」の世界を生きる私たち日本人は、双方向の視点をもつ。「個」の世界を生きるなら、ただ自分の思うところを自己主張していればよい。だが、「間柄」の世界を生きるとなると、そう単純にはいかない。相手のことを意識し、相手との関係にふさわしいように、相手を傷つけないように、気まずいことにならないように、相手が不満に思うようなことにならないように、相手の期待を裏切らないように、などと相手に配慮しつつ、自分の思うところを伝えることになる。

私、僕、オレなどの自称詞さえも相手との関係性によってごく自然に使い分けているように、持ち前の共感能力を発揮して、相手が何を思っているか、相手が何を望んでいるかなど相手の立場や気持ちに配慮しながら、双方が心地よさを失わないようにものの言い方を調整する。

こうしてみると、はっきりと自己主張できないのは、べつに情けないことなのではなく、相手の気持ちや考えていることがわかるし、相手の立場がわかるから、一方的にこっちの言い分を押しつけるようなことがしにくいからなのだ。

相手が何を望んでいるか、どう感じているかなど相手のことを気にするのも、主体性がないというのではなく、相手の期待に応えたいから、つまり自分自身の満足だけでなく相手の満足も大切にしたいからである。

言いたいことがあっても言えなかったり、要求があるのに遠慮したりするのも、自己主張のスキルが未熟だからというわけではなく、相手に負担をかけたくないし、相手からずうずうしい人物とみられたくないからであり、それゆえに自己主張のスキルを磨く必要などなかったのだ。

このように、私たち日本人には他者から独立した自己などというものはないが、だからといって未熟なのではない。日本文化においては、他者から切り離された自己の方が、相手に配慮できず自己中心的であるという意味で未熟とみなされる。

ところが、発信重視の教育により、自分の視点に凝り固まり、自分以外の視点に対して想像力を働かせる心の習慣が軽視されつつあるように思われる。

それが、他人の言動に対する短絡的な反応を助長しており、一種の思考停止を生んでいるのではないだろうか。

「手取り足取り、面倒見の良さ」が奪う考える力

これからは主体的にものを考え、主体的に行動できる人間を育てないといけないと言いながら、なぜか教育現場は、その逆の方向に動いている。教育現場に身を置く人間は、その矛盾を切に感じていると思うが、多くの人々はそのことに気づいていないように思われる。

たとえば、私の学生の頃は、大学側からの連絡事項の伝達は構内の掲示板に限られていた。掲示板を見逃し、レポート課題を提出できなければ、それは自己責任となり、単位は取れない。出席が重視される語学の授業で欠席が続けば単位取得が危うくなるが、そこは自己管理が必要で、自分で欠席回数を数えておく必要があった。

ところが、今は多くの大学では、単位取得が危ぶまれる学生に科目担当教員やゼミ教員が出席を促したり、課題提出を呼びかけたりする。学生本人から反応がない場合は、保護者に連絡し、本人に出席や課題提出を促すように依頼したりする。

このような面倒見の良さにより、日頃、自分がどのくらい欠席しているかを気にせずに過ごし、レポート課題を見逃していないか、ちゃんと提出しているかなどに、まったく無頓着に過ごすことができる。

さらには、欠席が多すぎたり、課題未提出が続いたりして、単位取得の条件を満たさなくなった学生たちから、うっかりしていたが単位を落とすわけにいかないので追加課題を出してください、といった依頼が殺到する。

それを受け入れたら、真面目に対処している学生や条件を満たさないので潔く諦めた学生との公平性に欠けるため、私は一切認めていない。しかし、このような依頼が毎学期つぎつぎに来るということは、可哀想だからと認めてしまう教員も少なくないのだろう。ほんとうは、それが認められると思わせてしまうことの方が、自己コントロール力を失わせてしまうという意味で可哀想なのだが。

文科省の指針に基づいて予習・復習を科目担当教員が管理し採点するということも行われるようになってきているが、かつて、そのようなことは小学生相手には行われても、大学生どころか高校生相手にも行われることなどなかったのではないか。少なくとも大学生の場合は、授業の予習・復習など自己責任の範囲で行っていたはずである。

大学生にとって就職活動というのはきわめて重要なこととなるが、それに関しても、私の学生の頃は、各自が自分で情報収集し、行動するしかなかった。

それが今では、大学側が懇切ていねいな就職活動説明会を開いたり、面接の練習をさせたり、個別の相談に乗ったりしている。さらには、エントリーシートを自分で書けない学生のために、就職活動を支援する部署の職員やゼミ教員が添削指導をしたり、ときに代筆したりしている。

このような流れのなかで、朝起きられない学生のためにモーニングコールを引き受ける大学まで出てきたという。

それは極端な事例としても、このような手取り足取りの面倒見の良い教育は、顧客サービスの一環として行われているのかもしれないが、自分で主体的に考えて動く力を奪っていると言わざるを得ない。

これからは、主体的に考え行動する人間を育てることが大切と言いながら、実際はそれに逆行するような教育やサポートが行われ、ますます強化されつつある。これも、自分で考えて動くことのできない指示待ち人間を育てよう、という愚民政策の一環なのだろうか。そんな邪推をしたくもなる動きとしか思えない。

教育にコスパ的な発想は必要ない

世の中全体にコスパ（コストパフォーマンス）的な発想が広まっている感がある。商店や企業などの経営陣が利潤追求のためコスパにこだわるのはわかるが、教育にまでコスパ的な発想を持ち込むのはどうなのだろうか。

教育現場の労働者の生活を守るために、効率の悪い仕事を回すことのないよう配慮することは必要だろうが、教育を受ける側の児童・生徒・学生がコスパを気にする必要はなく、教育する側もそれに配慮する必要はないはずだ。

たとえば、学習すべき内容を言葉で説明するより図解や映像で説明する方がずっとわかりやすい。そこで、最近では図解や映像をふんだんに盛り込んだパワーポイントを用いた授業が盛んに行われている。

図解や映像で示されれば、見るだけで理解できるため、授業のコスパが上がると思われがちだが、見るだけでわかることによってじっくり考えをめぐらすというプロセスが省略されてしまうことが、じつは思考停止状態をもたらしやすい。このことを見逃してはならない。

「すぐにわかる」「見ればわかる」というのが良いことのように受け止められがちだが、それは「じっくり考えずにわかったつもりになる」傾向を助長しているのではないか。

実際、学生たちに問いかけてみると、パワーポイントを使った授業では、そのときはわかった気になっていたのに、後で配布されたパワーポイントのコマを見ても意味がよくわからないことが多いという。

もちろん、授業中に考えながら図解や映像を見ており、しっかり理解している学生もいるものの、ただぼんやり見ているだけでわかったつもりになってしまう学生も少なくないようだ。

ものを考える人間を育てるためにも、学習内容をしっかり理解させるためにも、

「すぐにわかる」

「見ればわかる」

ような教材提示をするのではなく、

「よくわからないなあ」

「どういうことなんだろう」

と疑問に思わせ、わかるために必死に集中して考えるように導くことが大切となる。


授業だけでなく読書についても同様である。読書をしない生徒・学生が多くなっていることから、要約を読むことで「読んだつもり」「わかったつもり」にさせるような風潮がある。

2時間くらいの映画を10分に要約したファスト映画は違法とされているが、そうしたものの需要があるのには呆れざるを得ない。本来、映画はその世界に浸って楽しんだり悲しんだり感動したりといった時間をたっぷり味わうものだろう。それを10分に圧縮し、その映画の要点を手っ取り早くつかむのがコスパがいいといった発想では、映画をじっくり味わう楽しみが奪われてしまう。

読書の場合も、速読のスキルを身につけさせようとしたり、要約を与えたりする動きもあるが、それでは本をじっくり味わうことができない。

本来の読書は、文字を読みながら登場人物の様子や心の動きを追い、共感したり、同情したり、反発したり、嫌悪したり、風景や個々の場面の光景を思い浮かべたり、著者の意見や心情を推測したり、それを自分の意見や心情と照らし合わせたりしながら、本の世界にどっぷり浸かって味わうものであろう。

速読や要約では、そのような味わい深いものがすべて失われるとともに、文字を追いながら考え感じるといったことが省略されてしまう。

こうしてみると、教育現場においては、世の中に蔓延しているコスパの発想を頑固に退ける覚悟が求められると言ってよいだろう。

第4章　権力者による愚民政策の一環か

どんな政策にも文句を言わない日本人

他の国々では、政府が決めた政策が理不尽だと考えたり、何らかの不満を感じたりすると、すぐに抗議デモがそこら中で起こり、それが手荒な暴動に発展することも珍しくない。海外のそうした暴動による混乱の様子が、テレビやネットのニュースでしょっちゅう報道される。

それに対して日本では、政府が決めた政策にどんなに不満を抱いても、政府の中枢を担う政治家の不正が発覚して不信感を抱いても、抗議デモが起こることは珍しく、ましてや暴動に発展することなど滅多にない。

居酒屋などでは、政府に対する不満を息まいて口にする人も見かけるが、ほとんどの人は抗議行動を起こそうなどという気持ちはない。結局、何があっても我慢してしまう。そのため政治家のなかには、

「日本国民はすぐに忘れるから、適当に時間稼ぎをしていればいい」

といった趣旨の発言をする人物まであらわれる始末である。

自分たちの生活環境に問題が生じた場合、自分たちの力で何とか改善しようと努めるの

が民主主義国家における国民のあるべき姿のはずだが、どういうわけか、多くの日本人はそうした動きを取らずに現状に甘んじてしまう。内輪で文句を口にすることはあっても、現状を変えていくための行動を取るより、現状を容認してしまう。これも一種の思考停止と言えるのではないか。

現状容認は、ある意味では諦めに通じるわけで、そこは変えていく必要があるのだが、それが難しいのは、そうした日本人の短所は、忍耐強さや礼儀正しさ、攻撃性の低さや協調性の高さといった長所と表裏一体になっているためとも言える。

その一例として、日本人観光客が海外で非常に評判がいいということがある。世界最大のオンライン旅行会社エクスペディアは、ヨーロッパ、アメリカ（北米・南米）、アジアパシフィックのホテルマネージャーに対して、各国観光客の国別評価調査を２００９年に実施している。

その結果、日本は9項目のうち「行儀のよさ」「礼儀正しさ」「清潔さ」「もの静か」「苦情が少ない」の5項目で1位となり、総合評価でも堂々1位、つまり世界最良のツーリストに選ばれているのだ。

じつは、このように礼儀正しく、攻撃的にならず、可能な限りものごとを平和に解決しようという姿勢は、はるか昔から日本人のなかに根づいていたようである。

たとえば、第2章でも触れたが、長崎出島の三学者の一人に数えられるツュンベリーは、旅行記のなかで日本の印象について詳細に記している。

それによれば、日本人ほど礼儀正しい国民はいないという。幼い頃から従順さをしつけられ、年配者もその手本を示す。身分の高い者や目上の者に対して礼を尽くすのはもちろんのこと、身分が対等の者に対しても、出会ったときや別れるとき、訪問したときや立ち去るときに、ていねいなお辞儀で挨拶を交わす。そのように記されている。

また、日本で商取引をしているヨーロッパ人の汚いやり方やその欺瞞に対して、ヨーロッパ人だったら思いつく限りの侮り、憎悪そして警戒心を抱くのが当然と思われるような場面でも、日本人は非常に寛容で善良であることにしばしば驚かされた、という。

時代をさらに遡ってみても、たとえば、安土桃山時代に相当する1579年から徳川幕府が誕生する1603年にかけて、三度来日した宣教師ヴァリニャーノも、日本人はだれもがきわめて礼儀正しく、一般の庶民や労働者でさえも驚嘆すべき礼節をもって上品に育てられ、あたかも宮廷の使用人のようであり、礼儀正しさに関しては東洋の他の民族のみならずヨーロッパ人よりも優れているという。

また、日本人は思慮深く、ヨーロッパ人と違って、悲嘆や不平、あるいは窮状を語る際にも感情に走らない、それは相手を不愉快にさせてはならないという思いがあるからだという。

さらに、日本人は不平不満を口にすることをよしとせず、自分たちの主君や領主に対して不満を抱くことなく、天候のことや楽しい話をするばかりであるため、日本人の間では平穏が保たれているとしている。

このような伝統的にみられる日本人の性質は、阪神・淡路大震災の際も、東日本大震災の際にも、世界中から賞賛された日本人被災者たちの忍耐強さや規律正しさに通じるものであり、素晴らしい長所でもあるのだが、先述のように、こうした礼儀正しさや忍耐強さ、攻撃性の低さや協調性の高さは、悪くすると現状追認の事なかれ主義につながる。

政治に無関心で、どんなに政治家の不手際があっても苦笑しながら批評するくらいで、抗議行動を起こそうなどとは思わず、そんなことをするのは見苦しいといった感覚があり、身近な話題にしか興味を示さない多くの人々をみていると、為政者にとって非常に御しやすい国民に思えてしまう。

任せておけば大丈夫という時代ではなくなった

日本では、多くの国民が今の生活に対して不満をもっていても、政治や行政を変えようといった発想は乏しく、政治家や行政担当者が何とかしてくれるのを待つといった感じになりがちである。若い世代の教育を担う教員までが、

「そういう難しいことは、しもじもの者にはよくわからないし、国の偉い人たちがちゃんと考えてくれてるんだろうから、任せるしかないでしょう」

などと口にするのを耳にして、衝撃を受けたこともある。だが、それが日本の国民の一般的な反応なのではないか。

なぜ、そうしたお任せの姿勢を取ってしまうのか。そこにも日本の伝統的な価値観が関係しているようだ。

第2章で紹介したように、日本人の行動パターンを探った文化人類学者ベネディクトは、日本人は目上の者から命じられて仕方なく受け入れ従うのではなく、目下の者の方から自然に従うのであり、それは西洋人にとってもっとも驚くべきことであるとしている。

そのことは、新型コロナウイルスの感染爆発による行動規制に際しても、海外では違反

したら罰金を科すといった強制力が必要不可欠であったのに、日本ではそうした強制力なしに国民の自粛に任せればよかったことにもあらわれている。それは、国民が昔から「お上に任せておけば大丈夫。悪いようにはしないだろう」といった感覚をもっていたからであろう。

そこには、日本には伝統的に性善説が根づいていることが深く関係している。

これも第2章で紹介したように、心理学者塘利枝子は、東アジア4カ国の小学校の教科書の分析を行っているが、そのなかの日中比較には、性善説に立つ日本と性悪説に立つ中国の対照性が見事にあらわれている。

日本の教科書には、敵とは知らずに無邪気に善意を信じて懐に飛び込んだ結果、本来、敵であったはずの相手の気持ちが変わり、味方になってくれたという作品がみられる。

それに対して、中国の教科書には、敵はあくまでも敵であり、うっかり同情すると痛い目に遭うことを諭し、けっして敵の命を救おうなどとしてはならないことを強調する作品がみられる。

小学校の教科書には、人間形成における基本的な考え方が反映されているはずである。ゆえに、このような教科書の対照性から、日本では相手を信頼し、相手に任せれば、こちらの信頼を裏切るようなことはしないはずだといった性善説に基づく価値観をもつように教育しており、中国では相手を疑い、常に警戒心をもって自分の身を守ることが大切だというように、性悪説に基づく価値観をもつように教育していることがわかる。

性悪説に立つのは中国だけでなく、欧米諸国をはじめ、ほとんどの国が該当する。海外で暮らしたり、海外旅行をした人、あるいは海外とビジネス上のかかわりをもったことのある人なら、だれもが感じるのは、海外では日本にいるときのように呑気にしていたら騙されてしまう、自分の身は自分で守ることが必要だということである。

日本人は、ともすると「そんなインチキはしないだろう」「ちゃんとやってくれるはず」「そんなえげつないことをするはずがない」「疑うようなことはしたくない」などと無意識のうちに相手を信頼してしまう。だが、それは性善説に立つ姿勢であり、ほとんどの国は性悪説に立っているので、常に相手を疑い、警戒することで自分の身を守るのは、国民の基本的な姿勢とみなされている。

グローバル化が急速に進行している今日、経済だけでなく価値観もグローバル化しており、日本人のなかにも性悪説に染まる者も出てきている。そうした動きは、グローバル化の最前線にいる実業界にも政界にもみられる。

政治も経済も、性悪説に立つ国々や企業とやり合っていくには、こちらも性悪説を前提に警戒心をもって交渉しなければならない。それは必然であり、やむを得ないことであろう。

だからといって、国民の間でも性善説を捨てて性悪説に立って人づきあいをするというのはあまりに淋しいことである。だが、自分たちの生活に大きな影響を及ぼす政治・経済の動きに対しては、お任せの姿勢で受け入れるのではなく、警戒心をもってしっかりと考えて行動するようにすべきであろう。

謝罪すれば水に流すという文化的伝統

「お上にお任せ」といった姿勢と共に、日本人の特徴と言えるのが「謝罪すれば水に流す」といった姿勢である。

それは、ある意味では日本文化に根づく美学の一種とも言えるが、これも性善説の文化のなかでは通用したかもしれないが、相手があくどい場合は逆手に取られることになりかねない。

政治家や企業経営者などの不祥事が明るみに出て、「これはとんでもないことだ」とメディアで大騒ぎになっても、謝罪会見がきちんと行われると、それで一件落着といった感じで、多くの国民は関心を失っていく。そのせいで似たような不祥事が繰り返されることになる。

謝罪した者に対する態度は、欧米と日本ではまったく正反対と言える。

そもそも海外の人々はあまり謝らない。それに対して、日本人はすぐに謝る。それは、日本では謝罪と責任が分離されているからである。

大雑把な言い方をすれば、欧米では謝罪が「処罰」につながるのに対して、日本では謝罪が「許し」につながる。そのため、欧米人はよほど追い詰められない限り謝らないが、日本人はすぐに謝るのである。

個人主義の欧米社会では、相手が悪いとなれば徹底的に攻撃し、勝利すれば敗者を徹底的に糾弾し、搾取する。相手が非を認めて謝ったからといって許しはしない。謝罪と責任の追及が密接に結びついているのである。

うっかり謝ってしまうと、責任が全面的にかかってくる。賠償責任をどこまでも追及される。ゆえに、身を守るためにも安易に謝れないのだ。アメリカの一部の州でアイムソーリー法が制定されたことが、そうした事情を端的に示している。

法学者佐藤直樹は、「すみません」で良好な雰囲気の「場」ができあがると、それを壊すような態度はとりにくくなり、「いえいえ」と言わざるを得ない雰囲気が醸しだされ、「いえいえ」と言うことでさらに良好な雰囲気が強化されるという私の論考（『「すみません」の国』日経プレミアシリーズ）を引用した上で、つぎのように言う。

ところが欧米の場合、謝罪は自分の非を認め、法的責任を認めることになるために、たとえ自分が悪くても絶対に謝らない。たとえばアメリカの保険会社は、自動車の賠償責任保険に加入するドライバーとの契約書に、「事故現場では自分はどう考えるかコメントしない」という条項を盛り込んでいるという。現場で謝罪すれば、一〇〇パーセントの責任を問われかねないからである。

さらに、カリフォルニア州をはじめとする多くの州では、病院で患者が死亡した場合に医師が、患者の家族などに、「手は尽くしたが力が及ばなかった。お気の毒です。アイムソーリー」といっても医療過誤訴訟の証拠にはしないという「アイムソーリー法」を制定している。うっかり「すみません」といっても、医者が責任を問われないようにするためである。

およそ日本では考えられない。これを日本でやったら「角が立つ」ことになるだろう。

（佐藤直樹『なぜ日本人は世間と寝たがるのか』春秋社）

このようなアイムソーリー法がわざわざ制定されなければならなかった事情をみても、アメリカがいかに自己正当化を必要とする社会であるかがわかるだろう。

一方、間柄を大切にする日本社会では、非を認めて謝っている人物をそれ以上責めるのは、弱い者イジメみたいで「みっともない」といった感受性がある。謝罪した者の責任を徹底的に追及する欧米社会と違って、謝っている者をさらに責め立てるのは無粋である、つまりカッコ悪い、みっともないといった、世間体を介した感受性があるため、日本社会ではだれもが警戒心なしに謝ることができるのである。

さらに言えば、許すことが自分の人間としての器の大きさにつながるようなところがある。ゆえに、日本人は、謝罪があるとそれ以上責め立てることができなくなり、すぐに許すのである。

このように、謝罪と責任の追及が分離されているため、自己正当化にこだわらずにすむし、謝罪したり許したりすることで思いやりの心の交流が促されるわけだが、ときにこれを悪用する者が出てくる。許されることを狙って、形だけの謝罪、いわば自己呈示としての謝罪（第1章参照）をするのである。

価値観のグローバル化が進行しつつある今日、そうした文化的背景を意識しておく必要があるだろう。そこを踏まえておかないと、うっかり騙されるなど、気づかぬうちに思考停止に陥ってしまう恐れがある。

日本的組織の意思決定にありがちな思考停止

企業など組織の不祥事が明るみに出るたびに、多くの人が疑問に思うのは、現場の人間が勝手にやったわけではなくちゃんと会議で承認を得ている、なぜそんなことが組織のなかでまかり通るのかということのようだ。

だが、日本の組織では、じつによくあることである。

たとえば、会議で議題として出された案件についての説明を聴きながら配付された資料を読んでいて、よくわからないこと、疑問に思うことが出てきたとする。そこで、率直に疑問を口にすると、あるいはだれか他の人が質問し追及すると、提案者はうまく説明できず、いつの間にか場の雰囲気が悪くなっている。そんな場面に遭遇したことがあるのではないか。

会議で意見のやりとりを聴いていて、どうも嚙み合っていない、双方の論点がずれていると感じ、議論をもっと有効に進めようと思い、嚙み合っていないことを伝えると、気まずい空気が漂う。そのようなことがたびたびあるためか、「あの人は理屈っぽくて困る」と言われているのが耳に入ってくる。そんな経験をした人もいるのではないか。

そこでわかるのは、日本的組織は理屈で動いてるわけではなく、第2章で指摘したように、空気で動いているということだ。ゆえに、理屈で考えたらどうにも納得いかないおかしなことが、ごくふつうに起こっているのだ。

このように理屈が嫌われ、会議でほんとうの議論ができないというのは、組織を健全に運営する上では致命的な欠点と言わなければならない。他者の気持ちに気をつかいすぎて、率直に意見の応酬ができない。言うべきことも言わない。そのため誤った結論に至ることも珍しくない。

おかしいと思っても疑問を口にできない。「何を言ったか」より「だれが言ったか」を気にする。結局、だれも正しいことを口にできない。

このように、日本流の会議の進め方は、正解の追求より、気まずくならないことを重視することになるため、ほんとうの議論ができない。ゆえにチェック機能も働かないわけだ。まさに組織としての思考停止である。

そこで問われるのが組織風土である。不祥事を防ぐために組織の改革が行われても、たいていは組織の構造や制度をいじるばかりで、風土を変えるまでには至らない。いくら組織の構造や制度を変えたり整備したりしたところで、そのなかでどう動くか、制度をどう活かし規則をどう適用するか、会議をどう運営するかなどは、すべて組織風土しだいと言える。

いわゆる空気による支配を脱するには、組織風土を変革する必要がある、組織風土が不祥事を生み出す温床になっている、などと言われても、自分たちの組織風土に問題があるのかどうかは、そう簡単に判断できないのかもしれない。そこでチェックすべきは属人思考だ。

組織的違反の主要な原因は、規定等の整備不良などではなく、属人思考であることが心理学的調査によって明らかになっている。

コンプライアンス重視などといって規定等をいくら整備したところで、その運用面に属人思考が無意識のうちに入り込むのだ。

属人思考とは、心理学者岡本浩一によれば、「事柄」についての認知処理の比重が軽く、「人」についての認知処理の比重が重い思考のことである。

たとえば、財務の健全性について検討したり、新規案件の収益見通しやリスクについて審議したりする際に、本来はその事案そのものについて検討したり議論したりすべきなのに、だれが責任者か、だれの提案か、だれの実績になるか、だれの落ち度になるかなど、人間関係に大きく左右されてしまう思考のことを指す。事案の評価に人間関係的な要素が入り込んでしまうのだ。

その結果、組織にとってリスクの大きい事案が可決されたり、見過ごすべきでない事柄が黙認されたり、あるいは大きなチャンスとなり得る事案がつぶされたりする。

人間関係が重視される日本社会では、気まずくなるのを避ける心理が働くため、どんな組織にも属人思考はつきものと言える。

そのせいで理屈抜きにものごとが決まる空気支配が行われ、組織全体が思考停止に陥ってしまう。組織風土を改善するには、ひとりひとりが自分自身に染みついている属人思考に気づくことが必要である。

便利だと思っていると操られる

何かをネット検索すると、それに類する記事や広告が出てくるようになる。海外旅行に行ってみたいと漫然と思い、いろいろ検索すると、別の日に何気なくネット記事を見ようとしたときに、海外旅行の広告に不自然に多く出くわす。そんなことが繰り返されるうちに、ほんとうに海外旅行に出かけたくなる。

ある健康食品が気になって検索すると、似たような健康食品の広告がやたらと出てくるようになる。それで、始終広告を目にする健康食品を購入してしまう。

ひいきの球団の記事をいくつか読むと、その球団に関する記事をしょっちゅう見かけるようになる。ひいきの球団の記事を読むのは楽しいので、目に入るたびに読むようになる。

そのようなことは、だれもが日常的に経験しているはずだ。何でもすぐに検索できて便利だと思い、始終検索していると、検索履歴をもとにこちらの趣味とか関心、価値観をつかまれてしまうのである。

自分が何を検索したかによって出てくる広告や記事が決まってくるなんて気味が悪いと思う人もいるだろうが、気になる広告や記事が自然に出てくるのは便利だと言う人もいる。

気になっている分野の広告や記事がよく出てくるのはたしかに便利ではあるが、それはこちらが何をクリックしたかについての情報をもとにしたマーケティングが行われているのである。

こういうことに関心のある人には、こういう広告が効果的である。こういうことに関心のある人には、こういう記事の見出しを見せれば読んでもらいやすい。そんなふうに個人の検索履歴をもとに、買わせたいモノや読ませたい記事を決めていく。

いわば、ほんの軽い気持ちで検索していると、その履歴によってこちらの興味や嗜好がバレてしまい、こちらが関心を示しそうな商品をちらつかせてくるのである。

こうした仕掛けによって商品の購入を促すだけでなく、有権者の心理を操作し、選挙に影響を及ぼすこともできる。

2016年のアメリカ大統領選挙では、ケンブリッジ・アナリティカというイギリスのコンサルティング会社が、フェイスブック社から最大8700万人分の個人情報を不正流用し、ドナルド・トランプ氏の当選を後押ししたとされる。

そのような世論誘導があったことを告発したそのコンサルティング会社の元幹部は、不正入手した個人情報をもとに説得できる可能性のある人物を狙い撃ちして、個々の特性に合わせた1万種以上のキャンペーンを行ったという。

個々人が望む政策に合わせた、トランプ氏の動画を繰り返し送る一方で、対立候補ヒラリー・クリントン氏の支持者には、同氏が人種差別をしているようにみえるフェイクニュースなどを大量に送り、投票に行くことを思いとどまらせたというのである（「朝日新聞」2020年7月3日）。

その元幹部は、「日本でも、こうした全国的な個人情報を集めたデータベースをすでに持っている企業や組織はおそらくある。そんなデータを使えば、異なる人に異なるメッセージを送り、国民投票でも意のままに人々を行動させることができるはず」と警鐘を鳴らす（同紙）。

こうした仕掛けによって操られないようにするには、このような仕掛けについての知識をしっかり頭に入れておくことが大切となる。思考停止状態でいると、いとも簡単に操られてしまうので注意が必要である。

やらせレビューを知っているのに疑わずに頼ってしまう

どの店に食事に行くか、どの店に飲みに行くか、あれこれ候補となる店を思い浮かべて決めるのは楽しいものだが、なかなか決め手がなくて困ることも少なくない。そんなときに参考になるのが口コミだ。

以前は、口コミというのは身近に接する人たちから情報を得たり、たまに出る新聞や雑誌の記事を参考にしたりするのが中心だったが、ネット社会になってからは、どんな店に行きたいかを指定して検索すれば、無数の店の情報が見られるようになった。

そうした店の情報を集めたグルメサイトには、客による評価の平均点が出ており、和食、イタリアン、居酒屋などのジャンルごとに、評価の高い店のなかから選ぶということが、いとも簡単にできる。

それを利用して、自分の店の評判をよくして客を得ようとする者が出てくるのも当然と言える。実際、最大手のグルメサイトの食べログで、やらせレビューがあることが問題にされたり、金銭を受け取って好意的な口コミをする業者の存在が明らかになったりして、物議を醸すことがたびたびある。

サイト運営側に不正がなくても、個別に店側が客や影響力のあるグルメブロガーなどに金銭を渡して依頼することも可能だし、その仲介をする業者の存在も明らかになっている。

このような実態があることは報道されているにもかかわらず、グルメサイトで評価3・

5以上の店を探すことにしているという人も少なくないようだ。やらせレビューを参考にしても意味がないのだが、どの店がよいか自分で考えようとしても決め手がないため、つい頼ってしまうのだろう。

やらせレビューがあるのはグルメに限らない。アマゾンレビューで金銭を受け取って商品の好意的なレビューを投稿したり、ライバル商品の低評価のレビューを投稿したりといったことも行われている。

実際、ある商品の業者が仕事仲介サイトでやらせレビューを請け負わせ、他社商品に対して「星1つ」の低評価を投稿させていたことが判明し、投稿者と依頼業者が書類送検され、依頼業者が略式起訴されるということも起こっている（「朝日新聞」2020年9月5日）。

自社商品に関して、これと似たようなことをされて困っているという人から、やらせレビューによる被害について聞いたこともある。

口コミというのは、もともとは自然発生的で非営利的な情報の流れとみなされてきたが、ネット社会になり、ネット上の評判が大きな威力をもつことになったことで、戦略的に仕組まれた営利的な口コミも広まっているので、消費者としてはネット上の口コミを鵜呑みにしないよう注意が必要である。

このように、やらせが横行するネット上の評価に躍らされるのも、一種の思考停止と言えるが、それを防ぐためにも、ネット上の口コミの実態に関する知識をしっかり頭に入れておくことが大切である。

衝動に酔わせる文化をますます促進

この10年ほどでスマホが一気に普及したが、今では電車に乗っていると、スマホでゲームに熱中している人をよく見かける。ゲームが知的発達を阻害するとして、子どもがゲームをすることの弊害が指摘されているが、子どもばかりでなく大人がゲームに熱中している姿もよく見かける。

子ども時代、あるいは若い頃から癖になっているのかもしれない。ゲームには、神経伝達物質ドーパミンを放出させ脳を興奮させる効果があるため、中毒性が高く、依存症を引き起こしやすいと言われる。

実際、ゲーム依存で治療を受ける者も非常に多くなっており、2018年にWHOがゲーム依存を治療が必要な精神疾患と認定し、ゲーム障害として国際疾病分類に追加した。

大人も依存症に陥るほどなのだから、まだ自己コントロール機能を担う脳の部位の発達途上にある子どもが依存症に陥るリスクは非常に大きい。そうなると衝動性が高まり、ものごとをじっくり考えることがしにくくなるのではないか。

ゲーム依存というほどでなくても、ゲームをすることが脳の発達に悪影響をもたらすことは、しばしば指摘されている。では、ゲームは脳の発達にとってどれくらい有害なのだろうか。

脳科学的手法で認知機能の発達を研究している前出の川島と横田たちの研究グループは、5歳から18歳の子どもや若者を対象に、3年間の間隔を空けて脳の画像を撮影し、知能も測定して、ゲームをする時間が脳の形態や認知機能に与える影響について検討している。

その結果、ゲームをする時間が長いほど、語彙力や言語的推理力に関連する言語性知能が低いことが明らかになった。驚くべきことに、長時間ゲームをする子どもの脳は、脳内の各組織の発達に遅れがみられることもわかったのだ。脳画像からは、記憶や自己コントロール、やる気などをつかさどる脳の領域における細胞の密度が低く、発達が阻害されていることが明らかになったのである。

さらには、ゲームで長時間遊んだ後の30分から1時間ほどは、前頭前野が十分働かない状態にあり、その状態で本を読んでも理解力が低下してしまうということを示すデータも報告されている。ゲーム中には、ものごとを考えたり自分の行動をコントロールしたりするのに重要な役割を担う前頭前野の血流量が少なくなり、機能が低下してしまうのだろうという。

読書によって語彙力や読解力が高まり知的発達が促進されるということや、読書することによって神経繊維の発達や言語性知能の向上がみられることが実証されているものの、ゲームを長時間してしまうと、その後に読書をしても、その効果が減ってしまうというのである。

ゲームが知的発達を阻害するということは、教育心理学的な見地からも指摘されてきたが、脳画像によっても実証されているのである。それにもかかわらず、ゲームをする子どもも大人も減っていかないどころか、経済活性化の視点からいかにしてゲーム市場を拡大するかが論じられたりしている。こうした動きからすると、ますます思考停止の傾向は強まっていくと考えられる。

ゲームばかりでなく、スマホをいじること自体の弊害についても、耳にする機会が多いのではないだろうか。スマホの弊害を訴える精神科医のアンデシュ・ハンセンは、ＩＴ企業が集中する地域として知られるシリコンバレーは罪悪感でいっぱいになっているとして、ＩＴ企業のトップや著名な技術者がスマホやタブレットの弊害を認識し、自分の子どもにはスマホやタブレットを与えないようにしていることを伝えている（以下、ハンセン『スマホ脳』新潮新書より抜粋、要約）。

アップル創業者のスティーブ・ジョブズは、「ニューヨーク・タイムズ」の記者から自宅はｉＰａｄだらけなのでしょうと聞かれた際に、ｉＰａｄを自分の子どものそばに置くことすらしていないと言い、記者を驚かせたという。自分たちが開発したからこそ、その弊害をしっかり認識しているのだろう。

マイクロソフト創業者のビル・ゲイツも、自分の子どもに関しては、14歳になるまでスマホはもたせなかったという。

フェイスブックの「いいね」機能の開発者であるジャスティン・ローゼンスタインは、スマホの依存性はヘロインに匹敵するとして、自分のフェイスブックの利用時間を制限するために、本来は保護者が子どものスマホ使用を制限するために用いるアプリをインストールしたという。

iPodやiPhoneの開発に携わったアップルの幹部トニー・ファデルは、スクリーンが子どもたちを夢中にさせることの弊害を感じているようで、自分たちはいったい何というものをつくってしまったのだろうと、夜中に冷や汗をびっしょりかいて目を覚ますことがあるという。自分の子どもたちからスクリーンを取り上げたときも、まるで自分の一部を奪われるような感じで激しく感情的になり、それから数日間は放心状態になったという。

実際、スマホ（タブレットも含め）を使うことの弊害は、多くの人がどこかでうすうす感じているのではないか。

スマホをもつことで絶えず人とつながっている感覚になり、何をしていてもスマホが気になり、ものごとに集中できなくなる。検索するのが癖になり、何かというと反射的に検索してしまい、自分の頭でじっくり考える習慣が奪われる。スマホをもつことで、ものを考える時間が奪われていく。そんな感じがあるのではないだろうか。集中力の欠如も、検索習慣も、いずれも思考力の低下につながっていく。そのような弊害は非常に深刻だと思われるが、現に実証研究も行われている。

意思決定についての研究者であるデュークたちは、スマホを使うことが私たちの認知能力にどのような影響を及ぼすかについての実験的研究を行っている。

その結果は、スマホを使わなくても、ただそばに置くだけで認知能力が低下することを証明するものとなった。

課題の内容を説明すると複雑になりわかりにくいので省略するが、要は実験協力者にある知的課題に取り組んでもらったのである。

課題に取り組むにあたって、スマホの音やバイブレーション機能をオフにしてもらった上で、つぎの３つの条件のいずれかを選ばせた。
①スマホを目の前に置く（机の上に伏せて置く）
②スマホをポケットかバッグにしまう
③スマホを別の部屋に置く
その結果、スマホを別の部屋に置いたグループがもっとも成績が良く、つぎに成績が良いのはポケットかバッグにしまったグループ、スマホを机の上に置いたグループはもっとも成績が悪かった。スマホの電源を完全に切っていても同じ結果になった。

この実験結果から言えるのは、スマホをいじらなくても、ただそばにあるだけで認知能力が低下してしまうということである。認知能力が低下するということは、まさに思考停止状態に陥りやすいことを意味している。

スマホがあるだけで認知能力が低下し、課題遂行能力が落ちることは、この他にも多くの研究によって証明されている。スマホの存在を意識するだけで認知能力が低下するというのは、どうにも否定できない事実と言ってよいだろう。

スマホのせいで気が散って集中力がなくなるだけでなく、気にしないようにしようといった努力に心のエネルギーが費やされ、本来は課題に費やすはずのワーキングメモリの一部がその努力のために消費される。その結果、本来の課題に振り向けることができるワーキングメモリが足りなくなる。これではものごとをじっくり考えることができない。

ワーキングメモリというのは、ごく短時間、情報を記憶しながら、同時に何らかの課題遂行などの処理をする知的機能のことである。暗算をするときを思い浮かべればわかりやすい。数字を記憶しつつ、計算処理をする際に、ワーキングメモリがフル稼働している。

聞こえてくる話し声が気になって思考に集中できず、計算間違いや書き間違いをした経験がある人も少なくないのではないか。課題遂行に割くべきワーキングメモリの一部が話し声に聴き入ることに費やされてしまうのだ。

スマホは、今やほとんどの人にとって欠かせない道具になっていると思われるが、スマホに依存することで思考停止に陥るリスクは非常に大きいので、その弊害を意識しながら賢く利用する姿勢が求められる。ただし、そのような自己コントロール力を奪うところがスマホ依存の恐ろしさとも言えるのではないか。

マニュアル化がもたらす思考力低下と考える習慣の欠如

指示待ち人間が増えており、自ら考えて動くようになってほしいという声をよく耳にするが、世の中の動きをみていると、どうも指示通りに動く人間を量産する方向に向かっているように思えてならない。それを象徴するのが仕事のマニュアル化だ。

マニュアル化のメリットは、仕事に最低限必要とされる程度の質が担保されるところにある。習熟している人物なら自ら考えて適切な動きが取れるだろうが、まだ慣れない人物は、自ら考えるように言われても、どう動いたらよいかわからない。そんなときに威力を発揮するのがマニュアルだ。

臨時アルバイトや派遣社員など、その職場の仕事にまだ不慣れな人材をすぐに戦力にするには、マニュアル化が必要不可欠だ。

仕事に習熟しているか、まだ慣れていないかということだけでなく、人による性格の違いや、それまでの生活習慣の違いが仕事に質の差をもたらす。

たとえば、レジでの顧客対応でも、気持ちよく挨拶ができる者もいれば、挨拶の言葉がスムーズに出ない者もいる。客からの電話での問い合わせに対しても、ていねいな対応ができる者もいれば、ぶっきらぼうな対応をしてしまう者もいる。受付で無理な要求をする客に対して、相手の気持ちに配慮して傷つけないような対応ができる者もいれば、非難がましい言い方をしてしまう者もいる。

よく気がつく人とあまり気がつかない人。他人への配慮が得意な人と苦手な人。自分が発する言葉が相手の気持ちに与える影響を的確に想像できる人と、そのようなことにまったく無頓着な人。仕事のていねいな人と雑な人……。

そうした個人の特性の違いによる仕事のムラを最小限にするためには、マニュアルが役に立つ。マニュアルがあることで、個人の特性の違いにふたをして、一律の対応ができるようになる。

そのため、あらゆる分野で仕事の手順や顧客対応などのマニュアル化が進められている。ヒューマンエラーによる事故を防ぐのにも、マニュアルは威力を発揮しているが、接客業などでは、SNSでクレームが拡散する危惧があるので、クレーム防止のために応対方法などのマニュアル化が推し進められている。

そのような意味においてマニュアルは有効だし、多くの職場でマニュアル化が進んでいるわけだが、マニュアルで定められた通りに動けばよい、逆に言えば、マニュアルにないような勝手な動きを取ってはいけない、ということになると、個人の創意工夫の余地がなく、働く側のモチベーションは上がらない。

モチベーションには、失敗回避動機というものがある。失敗を恐れ、極力失敗しないようにしようとする動機だ。失敗回避動機の面からすれば、マニュアル化は失敗への不安を軽減し、モチベーションを高めることになる。

ただし、モチベーションには別の要因もある。なかでも重要なのは自律欲求だ。心理学者マレーによれば、自律欲求とは、強制や束縛に抵抗し、権威から離れて自由に行動しようとする欲求のことである。

失敗への不安の解消だけでは、モチベーション全体の高まりは期待できないが、自律欲求が満たされれば、かなりモチベーションが高まることが期待できる。その意味で言えば、マニュアル通りに動けばよいというのではモチベーションは上がらない。

もともと能力的に自信のない人や仕事へのモチベーションの低い人は、マニュアル通りに動くのは安心だし楽でよいかもしれない。でも、能力的に自信のある人や仕事に対するモチベーションの高い人の場合は、創意工夫の余地が乏しいとモチベーションを低下させてしまう。

だが、ここで指摘したいのは、それとは別の弊害だ。それは、マニュアルに従って動くことばかりを意識することで、自分で考えて動く姿勢が奪われ、創意工夫したり、試行錯誤したりする気持ちが薄れ、思考停止状態で機械的に仕事をこなすようになってしまうことである。

こうしてみると、熟練者でなくても一定の質の仕事ができるようにマニュアル化し、また無駄を省き効率重視に向かっている今の社会の動きは、思考停止を人々に強いているような気がしてならない。

これも愚民政策の一環なのかもしれないし、単に産業界の必要性によるものかもしれないが、いずれにしても思考停止に陥らないためには、そうした流れに呑み込まれずに、自分の頭でものを考える姿勢を強化していく必要があるだろう。

第5章　考える力を奪う教育からの脱却を

考える力を身につけるための知識・教養の吸収

いくら知識を詰め込んでも、現実の諸問題に取り組むことができないのでは困る。これからはさまざまな課題を解決できるように思考力を高めることが大切だ。そのためにも知識偏重の教育から脱却すべきである。

そのような論調が、各種メディアによって世の中に拡散され、知識を吸収することを軽視する風潮がある。

脱・知識偏重教育の重要性が叫ばれるようになって久しいが、それによって思考力が磨かれるようになっただろうか。実際は、指示待ち人間が増えたり、承認欲求に振り回されてSNSで目立ちたがりの投稿をして批判にさらされる人間が増えるなど、思考停止社会に向かっているかのような徴候さえみられる。

それには、すでに第3章で述べたように、知識詰め込みとは逆の知識不足が深く関係しているように思われてならない。

インターネットを通して、さまざまな情報に触れることができる情報過多な社会だからこそ、情報を精査し、取捨選択する必要があり、そのために考える力がこれまで以上に必要となる。

ものごとをじっくり考えるには、自分なりの視点をもつ必要がある。視点がなければ、情報に躍らされるばかりで、情報を評価したり、消化したりすることができない。ただし、自分の視点に凝り固まって、違う視点から検討することができないのも困るので、絶えず新たな情報に心を開きつつ、自分の視点も更新していく柔軟性が求められる。

自分の視点をもつためにも、知識や教養の吸収は必要不可欠である。それにもかかわらず、知識は人工知能に任せればいいし、それを利用すればいいのだから、人間は考える力をつけることが大事だと言われたりする。だが、知識なしでは自分なりの視点がもてないし、しっかり考えることなどできない。

知識偏重との批判が出た当時は、受験で重箱の隅をつつくような問題が出たりするため、その対策として細かな知識の丸暗記を強いるような教育が行われているのがまずいといったニュアンスが強かったと思う。

それが今では、知識詰め込みへの批判が行きすぎたのか、知識のあまりに乏しい中高生や大学生が巷に溢れているように思われる。

ここで今一度、知識と思考の関係をきちんと押さえておく必要がある。知識と思考を対立関係のようにみなす議論もあるが、知識が思考の邪魔になるというのは、まったく無思慮な誤解にすぎない。

たとえば、何らかの問題について、そのテーマに関連する分野の専門家が解説している内容と、ネット上でまったくの素人が思いつきの解説をしている内容を比べたら、当然、前者の方が説得力があるし、なるほどと思える点を多く含んでいるものである。

知識受容型の教育から主体的に学ぶ教育に転換すべきだというのはよいとしても、それは知識を吸収する姿勢を受け身でなく能動的にすべきだという意味に受け止めるべきだろう。与えられた知識を丸暗記するようなことはやめて、その意味をしっかり理解し、頭のなかを体系的に整理しながら知識を吸収していくのが望ましい。

知識を吸収することは、思考力を高めるにも必要なのである。知識が乏しいほど思考力が高まるなどといったおかしな幻想は捨てるべきだろう。私たちは、ともすると安易な方に流されやすい。知識を軽視する風潮があるせいで、知識など必要ないと開き直って知識・教養の吸収をサボることができる。これでは思考力を高めることができない。

幅広い教養を身につけることで、何らかの問題・課題に直面したときに、頭のなかの多くの引き出しから、関係がありそうな知識をいくつか取り出し、さまざまな視点から検討し、思考を深めることができる。

思想家の佐伯啓思は、読解力とは著者の意図を正確に読み、かつそれを自分なりに解釈することであり、著者の意図を正確に読み取るには著者の立場や気持ちがわからなければならず、そのためにはそれなりの経験と想像力がいるとし、さらにつぎのように言う。

国語の読解力が大事なのは、翻訳も含めて、国語で書かれた文章のなかに、先人たちの経験やそれをもとにした思索の跡が刻印されており、それを知ることがわれわれの想像力をかき立て、また鍛えるからである。（中略）
ただそのためには、古典とされる文学も、少々難解とされる思想書も読まなければならない。その程度の難解さに直面し、答えの見えない中を試行錯誤することが、現実の人生における難問を前にして多少は役に立つこともあるだろう。そして、そのためには、先人の残した古典や文学や思想への敬意がなければならない。
かつては、社会全体にそのような敬意があった。

（「朝日新聞」２０１９年12月28日）

今はネット上に情報があればいい、その検索の仕方さえ身につければ足りるといった感じで、知識・教養を身につけることが軽視されがちだが、情報から何を読み取り、それを目の前の課題の理解や解決にどう活かすかは、どのような知識・教養を背景とした視点をもっているかにかかっているのである。

読書習慣を促し、読解力・思考力を高める

思考力を重視するといった観点から、大学の入試改革でも記述式の導入が検討されているため、中学入試などでも記述式の出題が目立つようになってきた。

国語ばかりでなく算数でも記述式問題が増えているのは、考えさせることの重要性を踏まえてのことだろう。進学塾サピックスの広野雅明によれば、以前から上位校では新聞やニュースを読み、社会の出来事や課題に関心をもち、身近な生活と結びつけて考えさせるような良問が出題されてきたが、この傾向が中位校・下位校まで広がってきている。大学入試改革の影響もあって、表やグラフなどを読み取り、根拠を示して説明・記述させる出題も多くなっており、こうした傾向は続くだろうという（「朝日新聞」２０２０年2月29日）。

記述式問題で、文章に書かれていることの意味を解釈したり、表やグラフをもとに自分が判断したことの根拠を説明したりするには、語彙力や読解力が必要である。そこで大切なのが読書習慣である。

第1章において、今の若者にみられる読解力の危機的状況について解説し、第3章において、その背景には読書離れがあり、読書が語彙力や読解力を高めることが科学的に実証されていることを示した。

したがって、思考力重視というのであれば、単に記述式問題の練習をするというのでなく、もっと根本的なところで能力を高めるべく、これからの教育においては読書習慣の形成を促すことが大切となる。

これからはＩＣＴ教育が重要な位置を占めると言われるが、情報検索のスキルを高めるだけでは考える力を鍛えることはできない。実際、何でもネットで検索すればよいという感じで、自分の頭でじっくり考えることを省略する風潮が顕著になっている。

検索するのと考えるのと、いったい何が違うのかと尋ねられることがある。

たしかに、自分で考えるといっても、頭のなかに浮かぶ言葉をめぐってあれこれ考えるわけで、自分の記憶を検索している面があるのは否定できない。だが、読書も含めて自分自身の経験に根ざし、年月をかけて熟成した思いや考えをこねくり回すのは、自分自身から切り離されてネット上に浮遊する情報を検索し引き出すのとはまったく様相が異なる。

じっくり考え、思考を深めるには、良い聴き手を前に思いを語るのが効果的である。カウンセリングが効果をもつのも、じっくり耳を傾けてくれる聴き手を前に、思い浮かぶことを語っていくうちに気づきが得られ、これまでと違った構図のもとに自分の経験や思いを検討できるようになるからである。

ひとりで思考を深めるには、自分の思うことを文章にしてみるとよい。自分の内面に渦巻くモヤモヤした思いを文章にすることで、心のなかが整理されていく。言葉にするということは、言葉を用いてモヤモヤした頭のなかを整理することに等しい。

私たちは、自分の心のなかで経験していることを、そのまま取り出して理解することはできない。経験そのものが言語構造をもっているわけではないからだ。

何だかわからないけれども、心のなかがざわついて落ち着かない。なぜかイライラしてしょうがない。何だか不安だ。何だろう、この空虚感は。何だろう、この焦ってる感じは……。そんなふうに、言葉にならない衝動的なもの、感情的なものが、自分のなかに渦巻いているのを感じることがある。

そのようなモヤモヤした心の内を語ったり文章にしたりするには、それを言葉ですくい取らなければならない。自分の思いを語ったり書いたりすることが大事なのは、それが自分の過去の経験や現在進行中の経験を整理することにつながるからだ。

自分の内面で起こっていることを書いたり語ったりすることは、まだ意味をもたない解釈以前の経験に対して、書いたり語ったりすることのできる意味を与えていくことだと言ってよい。それによって経験が整理されていく。

そこで必要となるのが言語能力だ。私たちは日本語で考えるので、日本語能力が鍛えられていないと思考を深めることはできない。

たとえば、語彙が乏しいと、内面をうまく言語化することができず、なかなか頭のなかが整理できない。つまり、思考が深まらない。内面のモヤモヤを言語化して思考を深めるには、語彙の豊かさが求められる。そうなると、本を読まない者が増えているという最近の風潮は、きわめて好ましくない。

思考を深めるのに読書が役立つのは言うまでもない。それには、語彙が豊かになるという意味だけでなく、自分自身を見つめる機会になるという意味もある。

読書を情報収集と位置づけている人は、今すぐ役立つ情報のみを求めて実用書ばかりを読む傾向があるため、思考は深まらない。表面的に情報をなぞるだけだ。だが、実学志向の強い時代であるため、そうした読書の仕方をする人も珍しくない。むしろ多数派かもしれない。

しかし、本を読むことの意味は、けっして情報収集のためだけではない。本を読んでいると、自分の記憶のなかに眠っているさまざまな素材が活性化され、ふだん意識していなかった記憶の断片が浮かび上がり、それをきっかけにいろいろなことが連想によって引き出されてくる。


「そういえば、あんなことがあった」

「こういう思いになったことがある気がする」

「同じようなことを考えたことがあったなぁ」

「あれはいつのことだったかなぁ」

「自分も似たような状況に陥ったことがあったな」

などといった思いが頭のなかを駆けめぐる。


記憶の断片のなかには、他の本で出会った言葉や考え方もある。

「似たようなことを言ってた著者がいたなぁ」

「あの本は、ちょっと違った視点から書かれていたなぁ」

「あの本の主人公はどうやって葛藤を解決したんだったっけなぁ」

などと、過去の読書経験をもとにした記憶の断片が心に浮かんできたりする。

読解力や思考力を高めるには、このような読書の効用を踏まえて、読書習慣の形成を促すような教育的な働きかけをする必要があるだろう。

新聞やテレビニュースの効用

思考力を磨くためには、いろんな視点を自分のなかに取り込むことが必要である。そのためには新聞を読むことが大事だと言うと、ネットでニュースを読んでいるから、自分には新聞は必要ないと言う人もいる。だが、それは新聞のニュースとネットニュースの基本的な性質の違いを理解していない。

新聞を読む場合、まずページをパラパラめくることで、政治問題の記事、経済問題の記事、社会問題の記事、文化的テーマの記事、スポーツ関係の記事など、あらゆるジャンルの記事が目に飛び込んでくる。各ページの主な記事を飛ばし読みするだけでも、あらゆるジャンルについての情報を得ることができる。

それは、なにも新聞に限らない。テレビでニュースを見る場合も、政治、経済、社会問題、文化、スポーツなど、あらゆるジャンルのニュースがつぎつぎに流れてくるので、ニュースの番組にチャンネルを合わせさえすれば、あらゆるジャンルについての情報を万遍なく得ることができる。

それに対して、ネットでニュースを読む場合は、気になるテーマをクリックして主なニュースを引き出すことになる。新聞のように、各欄の記事がすべて目に飛び込んでくるのではなく、各記事のタイトルしか見えないため、クリックして引き出したもの以外の記事の内容はまったくわからないままになる。

そこで、ネットの場合は、経済ニュースしか読まず、文化的テーマやスポーツ、社会で起こっている事件などについてはほとんど知らないという人や、社会で起こっている事件についての記事はよく読んでいるのに、政治や経済についてのニュースはまったく知らないという人も出てくる。

ネットの時代になって、関心のあるニュースばかりをつぎつぎに引き出して読むことができるようになり、関心のあるジャンルについては非常に詳しくても、あまり関心のないジャンルの情報にはまったく触れることがなくなった。

それにより、各個人のもっている情報は個性化されてきた。求める情報を手に入れやすいという点においてネットは非常に便利であり、関心のある情報ばかりで自分の頭のなかの世界を埋め尽くすことができるのだから、きわめて心地がよい。

だが、そうした情報摂取の個性化の進展によって、頭のなかの世界にかなりの偏りができてしまう。自分の価値観と相容れない異質な考えを排除した心の世界に生きていると、視野が非常に狭くなり、一面的なものの見方しかできなくなる。

ゆえに、新聞やテレビなどのセットメニューのニュースに絶えず触れておくことは、視野が狭くなるのを避け、複眼的にものごとを検討する心の姿勢を保つ上で、とても大事なことと言ってよいだろう。

本を読むことの効用については前項で指摘したが、読書には異質な知識やものの見方・考え方に出会うという効用もある。

ネットの世界では、何かを検索すると、関連する情報が自動的に選別されて出てくるし、使用者の履歴をもとに関心をもちそうな情報が選び出されて表示される。また、興味のある見出ししかクリックしないため、出会う情報が非常に偏ったものになってしまう。自分の考えに対する反証になるような情報には、あえて目を向けようとしない。興味のない情報や意見にはわざわざ目を向けることがない。

そのため、異質なものの見方・考え方に触れる機会がなく、自分のものの見方・考え方に凝り固まってしまいがちである。ネット上で喧嘩のような誹謗中傷が目立つのも、自分と違うものの見方・考え方を理解できないし、理解しようという心構えもないからだろう。いわゆる自己中心性からの脱却ができない。異質な他者の考えや感じ方を理解できるようになるためにも、読書によっていろんなものの見方・考え方に触れることが大切である。

そうした読書の効用を活かすには、関心の幅を狭めずに、あえていろんな領域の本を読むように心がけるのがよい。その意味でも、家庭や学校では、さまざまな領域の本を揃える工夫が必要であり、さまざまなジャンルの本を読むように促す教育的な働きかけが必要となる。

発信力よりも、まずは吸収力を高めることが大切

SNSやユーチューブでだれもが気軽に発信できるようになり、多くの人たちが自分の考えや思うことを発信したり、うまく撮れたと思う写真を投稿したり、面白い動画を投稿したりしている。

だが、自分の発信・投稿内容の適切さを慎重に検討することをせず、人を傷つけるような発信をしたり、いたずらをしている写真や動画を衝動的に投稿したりして、不適切だとして糾弾される人たちも出てきている。

そこまで不適切ではないにしても、自分の偏った考えや未熟な考えを熟考せずに発信してしまうこともある。承認欲求に駆られて発信するのだろうが、本人の意図に反して、視野の狭さや考え方の未熟さが露呈し、思考停止の軽薄な人物とみなされてしまったりする。

そうした事例をみるにつけ、発信力を身につける前に、まずは吸収力を身につける必要があることを強く感じざるを得ない。知識をしっかり吸収していれば、どんなテーマにしても熟慮する際に用いることができる言葉や、論理的枠組みが頭のなかにあるため、説得力のある意見を発信することができる。

知識を吸収することが、あたかも悪であるかのような議論をしばしば耳にする。ちゃんと理解できていないのに専門用語を連発するような人もいるが、知識の丸暗記は意味がないのはもちろんだ。

知識をただ羅列するように記憶するのでなく、知識を体系化し、必要なときに引き出しやすくしなければならない。知識を孤立させて記憶するのでなく、有機的に関連づけ、体系化することが大切である。

そこで気をつけなければならないのは、体系化を急がず、できるだけ多くの知識を、さまざまな視点からの知識を吸収することである。体系化を急ぎすぎると、小さくまとまった世界が頭のなかに出来上がってしまう。

歴史上の出来事にしても、今の社会で問題になっている出来事にしても、個々の出来事の意味を深く理解するには、多くの文献を読みあさることが必要だ。どこまで読み込み、吸収するかで、体系化の仕方が違ってくる。

仕入れた知識を体系化する前に、ただひたすらに吸収する、がむしゃらに蓄積していくことが求められるのではないか。体系化するのは、その後でいい。そうでないと小さくまとまってしまう。偏った考えに凝り固まってしまう。まずは多様な知識の吸収に徹することが大切だ。体系化など考えずに、バラバラでもいいから吸収する。バラバラな方が、後で自由自在に結びつけることができる。

あらゆる知識をひたすら蓄積していくと、そのうち自然に発酵し、何らかの発想が湧いてくるものだし、視野が広がり、これまで得た知識や経験を体系的に位置づける視点が得られる。

あらゆる知識を吸収し、それらを関連づけるメタ認知的視点を獲得するには、読書が最適だ。それにもかかわらず、読むより活動することに重きを置くべきだというような議論が主流となり、それに基づいて発信のスキルばかりを重視した教育が行われていることには違和感を覚えざるを得ない。

プレゼンテーションをしたり、議論をしたりする対話的な学び方が、深い学びのために非常に効果的な方法であるかのような議論もあるが、それはあまりに偏った考えではないだろうか。自分以外の視点を取り入れるには、他者と語り合うことも効果的だが、それが唯一の方法ではない。

読書をすることや講義を聴くことで、自分にない視点に出会うこともできるし、読書や講義を刺激にして想像力を働かせることで、中途半端な他者との対話よりも豊かな視点を獲得することができる。

グループワークが中心の授業に不満をもつ学生たちと話すと、知識欲が旺盛なことが多い。そうでなければ、わざわざ教員にそんな話をしに来ないだろう。そこでいつも思うのは、まだ中身が充実しないうちは自分の意見を発表したり、発表のスキルを訓練して身につけたりするよりも、中身を充実させるためにひたすら吸収する方が大事なのではないかということである。

今の高校生たちの自己表現力にはしばしば驚かされた。将来についての展望をかなり明確にもっている生徒も結構いて、学力低下が指摘されるなか、これはたいしたものだと思った。そのように言う前出の佐伯は、それに続けてつぎのような思いを吐露する。

しかし、そう思いつつも、少し複雑な気持ちにもなる。私自身のことをつい振り返ってしまうからだ。私は高校生の頃、とてもではないが、彼らのような強い意欲も能力も表現力ももっていなかった。（中略）将来の明確な展望もなく、他人に対して自己を主張するほどの表現力も表現内容もなかった。ただあれこれ小説を読んだり、鬱々《うつうつ》と迷ったりしていただけであった。

（同紙）

私自身も、自己肯定感に関する著作のなかで、つぎのような視点を示したことがある。

私自身の学生時代を振り返っても、自分の進むべき方向に迷って大学から姿を消していく友だちがいたり、同じく自分を見失い、留年して哲学や精神分析の書物を読みふける友だちがいたり、そんな友だちと語り合いながら理系から文系への転部を考える自分がいたりと、多くの学生が自分の現状を否定しながら、どうすべきか悩み、もがき苦しんでいました。

自分の現状に「このままではダメだ」と思い、もがき苦しみながら自分の道を見つけ、軌道修正する。しばらくすると、また「このままではいけない」という心の声が聴こえてきて、再度もがき苦しみながら自分の道を見つけ、軌道修正する。そうしたことの繰り返しが「自分の人生」を歩むということではないでしょうか。

自分の現状をそのまま受け入れて肯定するだけでは、なかなか自分なりに納得のいく人生になっていかないように思います。現状に甘んじ、今の自分を肯定することで上辺だけの自己肯定感を維持しようとしても、真の自己肯定感は手に入らないのです。

その意味でも、安易に自己肯定を促す今の教育環境は好ましくないと言わざるを得ません。

（榎本博明『自己肯定感という呪縛』（青春新書INTELLIGENCE）

読書を通してさまざまな視点に触れたり、いろんなジャンルの知識を獲得したり、自分の生き方や経験をめぐって、あれこれ思い悩んだりすることを通して、自分なりの視点が徐々に形を取ってきて、思考力が高まっていくのである。

まだ中身が充実しないうちに、無理やり自分の視点を固めたり、自分の考えに自信をもったり、自分の意見を発信したりするのでなく、まずはじっくり吸収に徹するようにすべきであり、そのような教育的働きかけをすべきなのではないか。

考えることの苦痛と快楽

昔は家を一歩出ると、歩きながら何かを考えること以外にすることがなかった。電車のなかでは、もってきた本や新聞を読むか、そうでなければ物思いに耽《ふけ》るしかなかった。だから自然とあれこれ考える時間が圧倒的に多かった。

ところが、持ち運びできる便利な機器が開発されるようになって、電車などで移動中も、喫茶店や公園のベンチで寛《くつろ》ぎながらも、街角でだれかを待っている際にも、イヤホンで音楽を聴く若者が増えていった。さらに最近では、スマホの急速な普及により、音楽を聴く人に加えてゲームやSNSをする人、ユーチューブを楽しむ人、インターネットで検索する人などが、圧倒的な多数派となっている。

本を読んだり新聞を読んだりするとき、私たちは頭で文字を理解するという作業を中心に読んでいるのであり、知的な心のモードになっている。

それに対して、音楽を聴いたりゲームをしたりしているときは、感覚的な心のモードになっており、じっくりものを考えるというようなことはなく、衝動に身を任せる感じになっている。そのようなときは、刺激に対して即座に反応するという行動パターンに徹することになり、じっくり考えるような余裕を失いがちだ。

このような行動様式がクセになると、絶えず刺激を求め、刺激に瞬時に反応する心がつくられていく。刺激がないと物足りないし、ものごとを冷静になってじっくり考える習慣もつかない。

刺激の乏しいものにはすぐに飽きる。ゆえに、刺激の乏しいドラマや映画をじっくり味わうということができない。そこでドラマや映画のつくり手の側は、瞬時に反応できるギャグや笑いを多用し、やたら刺激的な場面を演出しようとする。ファスト映画などが出回るのも、じっくり味わうような心のモードになりにくい、ということがあるからだ。

このような刺激―反応図式のなかに埋め込まれることで、ものごとを頭でじっくり考えることなく、衝動的に瞬時に反応する心が増殖する。まさに思考停止社会になってきている。

そんな時代だからこそ、考えることの楽しみをもう一度取り戻す必要があるのではないか。感覚的なモードに馴染んでいる人は、考えるのがめんどくさいと思いがちだ。

たしかに仕事をするにも、段取りや手順に慣れきっていて、何も考えずに惰性で動いているのはとても楽に違いない。慣れないうちは、何から手をつけたらよいのかわからず、どんなふうにやったらよいのかもわからず、頭のなかがパニックになるくらいに考えなければならないことだらけだ。それが慣れてくると、ほぼ自動的に動けるようになる。でも、楽であればよいのだろうか。しだいに退屈になってくるということはないだろうか。

考えないでよいのは楽なのだが、それではやりがいを感じにくく、おもしろくない。「よけいなことは考えずに、言われたことを言われた通りにやればいいんだ」というような働き方で、やりがいを感じるのは難しい。自分なりの創意工夫の余地がないとモチベーションは上がらない。

そう考えると、私たちは、ＩＴの発達によって何でも便利になり、いちいち考えなければばならない苦痛から解放されたわけだが、同時に、あれこれ考えることの快楽も奪われてしまったとも言える。楽なんだけど、何か物足りない。そんな気分になることはないだろうか。

じつは、考えるということは、私たちにとってとても魅力的な娯楽なのではないだろうか。それが奪われつつあるということに、そろそろ気づくべきなのではないか。

学校時代の授業を思い出しても、ちんぷんかんぷんでまったくわからない難しい授業だと、楽しいわけがなく、退屈きわまりない授業時間になってしまう。だが、やさしい内容なら楽しい授業時間になるかというと、けっしてそんなことはない。当たり前のように、わかっていることばかりだと、これまたつまらなく退屈な授業時間になるだろう。

わかるようで、まだわからない。よく考えればわかるかもしれない。そんなときにチャレンジ精神が刺激され、ワクワク感を味わうことができる。そして、わからなかったことがわかるようになってくることが学ぶ喜びにつながっていく。そんな体験ができると楽しい授業時間になる。

何気ない日常のなかでも、そうした楽しさを味わえるようになれば、考えることがクセになり、思考停止から脱することができるようになるだろう。

何事に対しても疑問をもつことの大切さ

考えることの基本は、疑問をもつことにある。

私たちは、子どもの頃から絶えずいろんなことに疑問をもち、あれこれ考えながら過ごしてきたはずである。

遊ぶ際にも、いろんな疑問が頭に浮かび、あれこれ考えたのではないか。たとえば、どうしたら逆上がりができるようになるんだろう、コマを上手に回すにはどうしたらいいんだろう、どうしたらもっと速く走れるようになるだろうか、どうしたらもっとボールを遠くまで投げられるようになるだろうか、変化球はどうやって投げるんだろう、サッカーボールのキック力を高めるにはどうしたらいいんだろう、どうしたらドリブルで相手をかわせるだろうか……。

絵本を見るときなども、なんでクマさんが泣いているんだろう、どうしてこの子は意地悪をするんだろう、この子はどこに行くんだろう、字は読めないけど何て書いてあるんだろう、この先どうなっていくんだろう……。そんなふうに、さまざまな疑問をもちながら楽しんだのではないか。

どうしたら誰々ちゃんみたいに自分で本を読めるようになるんだろう、といった疑問を抱くこともあったかもしれない。

勉強に関してもいろいろ疑問に思い、考え込むことがあっただろう。この漢字は何て読むんだろう、この熟語の意味がわからないなあ、マイナスを引くってどういうことなんだろう、なんで3分の1で割ると3倍になるんだろう、この公式はどういう意味なんだろう、なんで川をダムでせき止めるんだろう、あんなに強そうな恐竜がなんで絶滅したんだろう……。勉強するたびにありとあらゆる疑問が湧いたはずだ。

とくに勉強のように構えなくても、日常生活においても、月はどうして動いているんだろう、なんで田舎に行くと星がいっぱいになるんだろう、池にいるカモは何を食べてるんだろう、鳥は自分の種の鳴き方をどうやって覚えるんだろう、ツバメは毎年同じ場所に巣をつくるのかな、犬の寿命はどのくらいなんだろう、食べられる野草はどうやって見分けるんだろう、なんで地面を掘ると粘土が出てくるんだろう、なんで神社で焚火をしちゃいけないんだろう、どうして児童公園でボール遊びをしちゃいけないんだろう、なんであそこの川に入って遊んじゃいけないんだろう……。そんな具合に、ちょっとしたきっかけでいろんな疑問が湧いたのではないだろうか。

そうした疑問が湧いたとき、親や先生など大人に教えてもらったり、図鑑や参考書で調べたりして、何とか疑問が解消することもあれば、よくわからないままに時が過ぎ、いつの間にか忘れてしまったこともあっただろう。でも、生きていれば絶えずいろんな疑問が湧くものである。

ところが、子どもの頃と違って、大人になってくると、惰性で動くことが多くなるのか、よくわからないことがあってもいちいち気にならなくなってくる。たとえば、理由がよくわからない規則があっても、なんでみんながそうするのかよくわからなくても、

「普通そうでしょ」

「そういうものだよ」

などと言われると、「そんなものかもしれないな」と納得してしまう。

それでべつに構わないこともあるものの、ときにはきちんと疑問に直面し、自分の頭で考えることも大切なのではないか。考えることで新たな気づきが生じることもあるし、何といっても思考の鍛錬になり、考えることに慣れていく。

思考停止を脱するには、ものごとを複眼的にみる姿勢をもつことが大事である。ひとつの視点に凝り固まらずに、別の視点からどのようにみえるのかに想像力を働かす。そのた

めにも、いろんな考え方、いろんな立場の人の意見や感受性に触れるようにすることが大切となる。

たとえば、このところよく話題になるコロナ対策にしても、マスクを外すべきか、マスクをするべきかといった議論がある。海外では外しているのに5月に日本で開催されるG7でマスクをするのはみっともないと政治家が言ったという報道もあるが、そんな理由で外すのはどうなのかと思う。マスクをしていることで小さな子どもたちの表情認知の能力発達に遅れがみられると言われれば、たしかにそうかもしれないと思う。でも、今まだ感染者が非常に多いのにマスクなしにするのは危険だと言われると、それもそうだと思う。

ワクチンにしても、ワクチンをいくら打ってもコロナ感染者は増えるばかりの現状に対して、ワクチンで感染は防げなくても重症化は防げると聞くと、それなら有効なんだなと思う。でも、ワクチンで症状が出にくくなると、ウイルスに感染していてもわからずに人に感染《うつ》してしまう危険もあるから、知らないうちに高齢者施設にウイルスをもちこむリスクもあると言われると、たしかにそうかもしれないとも思う。

そんなふうに、あれこれ考えてみることを楽しんでみたらどうだろう。すぐに答えが出ないとイライラするという人もいると思うが、それこそ思考停止の徴候なのではないかと疑ってみる必要があるかもしれない。

世の中の多くの問題に対しては、そう簡単に答えは見つからない。だからこそ専門家同士でも意見が対立したりするのである。

簡単に答えが出ないことにイラついたりせずに、あれこれ考えるのを楽しむ姿勢が大切なのではないか。それこそが思考停止を脱するための第一歩と言ってよいだろう。

おわりに

日本人の礼儀正しさや従順さは折り紙つきだ。海外の人たちの傍若無人の振る舞いや自分勝手な主張の激しさを見るにつけ、その思いを強めざるを得ない。

海外の人たちからどう見られるかをやたらと気にする私たち日本人は、そうした日本人の礼儀正しさや従順さを海外のメディアが賞賛するのを知ると、とても誇らしい気持ちになる。それこそが日本人の美徳なのだと。たしかにそうだ。私も、そうした性質は美徳だと思う。

だが、今の世の中を見ていると、少し認識を改める必要があるのではないかと思わざるを得ない。美徳のあり方にも、ひと工夫が必要なのではないか。それが本書を著すことにした主要な動機である。

多くの国々が性悪説に則って動いているのに対して、日本には性善説が深く根づいている。そのため日本で暮らすには人を疑う必要がなかった。人を疑うのは失礼だといった感受性さえ広く共有されてきた。それにより、何に対しても疑問をもたず、素直に従い、人を信じて疑わず、何でも「お任せ」にする習性を身につけてきた。

しかし、グローバル化によって、人を疑うことを基本とする海外の人々や組織とのやりとりが盛んに行われるようになるとともに、さまざまな価値観が日本社会に流入し、日本的な美徳が通用しない出来事が多発するようになってきた。

ここにきて、これまで国民が信頼してきた政府の動きも、企業など組織の経営理念も、どうも怪しくなってきている。さらには、人々の世間に対する信頼を裏切るような犯罪も多発している。信頼の社会が大きく揺らいでいるのである。もはや疑うことを知らない心のままで安心して暮らせる社会ではなくなりつつある。

このような時代ゆえに、私たちはもっと自覚的に日々を過ごす必要があるのではないか。人に「お任せ」の姿勢では乗り切れない社会になっているのだ。日本的な美徳を大切にしながらも、しっかりものを考え、自分なりの視点をもって、きちんと判断しながら暮らすようにしなければならない。

それにもかかわらず、文明の利器は、利便性の名のもとに、私たちから考える機能を奪っていく。国民をますます思考停止状態に追い込む愚民政策を政府が目論んでいるのだろうか。それに産業界が手を貸しているのだろうか。そんな疑念をもたざるを得ないほど、私たちは自ら考える機能を肩代わりしてくれる文明の利器やサービスに取り囲まれて暮らしている。

そうした今の状況をしっかりと踏まえて、考える葦としての人間の大切な心の機能を発揮するように心がけたい。

本書は、平凡社新書編集部の和田康成さんとさまざまな社会現象について話すなかで浮上した「思考停止」という問題に、多くの方々に目を向けていただきたいと思ってまとめたものである。

このような企画に賛同し、編集の労をとっていただいた和田さんに感謝の意を表するとともに、本書が今の日本社会のあり方に疑問の目を向けるきっかけとなることを切に願っている。

榎本博明

【著者】
榎本博明（えのもと ひろあき）
1955年東京生まれ。東京大学教育学部教育心理学科卒業。東芝市場調査課勤務の後、東京都立大学大学院心理学専攻博士課程中退。心理学博士。カリフォルニア大学客員研究員、大阪大学大学院助教授などを経て、現在、MP人間科学研究所代表、産業能率大学兼任講師。おもな著書に『〈ほんとうの自分〉のつくり方』（講談社現代新書）、『「やりたい仕事」病』（日経プレミアシリーズ）、『「おもてなし」という残酷社会』『自己実現という罠』『教育現場は困ってる』（以上、平凡社新書）などがある。
MP人間科学研究所 mphuman@ae.auone-net.jp

平凡社新書1028

思考停止という病理《やまい》
もはや「お任せ」の姿勢は通用しない

発行日——2023年5月15日　初版第1刷

著者———榎本博明
発行者——下中美都
発行所——株式会社平凡社
〒101-0051 東京都千代田区神田神保町3-29
電話 （03）3230-6580［編集］
（03）3230-6573［営業］

印刷・製本—図書印刷株式会社
装幀———菊地信義

ISBN978-4-582-86028-3
平凡社ホームページ　https://www.heibonsha.co.jp/